PROMÉTHÉE, FAUS

Collection dirigée par Jean-Paul Enthoven

DOMINIQUE LECOURT

Prométhée, Faust, Frankenstein

Fondements imaginaires de l'éthique

INSTITUT SYNTHÉLABO
POUR LE PROGRÈS DE LA CONNAISSANCE

Sommaire

« Culture de mort » ?

Dans la *Lettre Encyclique* du mois de mars 1995 qu'il a intitulée *L'Evangile de la vie*[1], le Pape Jean-Paul II dénonce les « nouvelles menaces » qui pèsent sur la vie humaine. Il vise un ensemble de pratiques comme autant d'« attentats à la dignité de l'être humain » : contraception, avortement, procréation assistée, euthanasie... Il admoneste tout spécialement les médecins et les personnels de santé qui se prêtent à de tels actes. Ces praticiens défigurent, écrit-il, le visage de la médecine ; ils lui apparaissent comme les instruments privilégiés d'une véritable « conspiration contre la vie ». Les hommes politiques se voient enjoindre de ne plus apporter leur concours à l'expansion de cette « culture de mort » ; les catholiques sont menacés d'excommunication. Mais c'est tout un « contexte culturel » qui se trouve ainsi mis en

1. Il existe plusieurs éditions de ce texte, dont Bayard Editions/Centurion, Paris 1995.

cause parce qu'il favorise « une sorte d'attitude prométhéenne de l'homme qui croit pouvoir ainsi s'ériger en maître de la vie et de la mort, parce qu'il en décide, tandis qu'en réalité il est vaincu et écrasé par une mort irrémédiablement fermée à toute perspective de sens et à toute espérance ».

Voilà donc Prométhée, le célèbre Titan de la très païenne mythologie grecque, qui vient hanter la plume du souverain pontife ! Et sous la forme adjective qu'avaient forgée ses thuriféraires au tournant du dix-neuvième siècle.

En 1979, le philosophe et théologien protestant allemand Hans Jonas (1903-1993), élève de Edmund Husserl (1859-1938) et de Rudolf Bultmann (1884-1976), propose « une éthique pour la civilisation technologique ». La Préface de son livre – *Le Principe responsabilité*[1] – s'ouvre sur ces lignes : « Le Prométhée définitivement déchaîné, auquel la science confère des forces jamais encore connues et à l'économie son impulsion effrénée, réclame une éthique qui, par des entraves librement consenties, empêche le pouvoir de l'homme de devenir une malédiction pour lui. [...] La soumission de la nature destinée au bonheur humain a entraîné par la démesure de son succès, qui s'étend mainte-

1. *Le Principe responsabilité : une éthique pour la civilisation technologique* (trad. franç. Ed. du Cerf, Paris 1990).

nant également à la nature de l'homme lui-même, le plus grand défi pour l'être humain que son faire ait jamais entraîné. » Jonas pense devoir allier une « heuristique de la peur » à une éthique de la responsabilité. Son ouvrage prend le contre-pied de celui publié par le philosophe marxiste Ernst Bloch (1885-1977) sous le titre de *Principe espérance*[1], mais aussi bien de l'ouvrage écrit à la gloire de l'Europe technicienne que David S. Landes n'avait pas hésité à intituler *The Prometheus unbound*[2]. En 1992, Jean-Jacques Salomon écrit : « L'avatar contemporain de Prométhée est le "chercheur", le scientifique, l'ingénieur, le technicien dont les travaux sont voués au sein des laboratoires publics comme des laboratoires privés, à multiplier les découvertes et les innovations. Ce Prométhée, écrit-il, est plus dynamique que jamais et tellement mieux armé qu'aux débuts de l'industrialisation pour exercer son génie inventif[3] ! » Pourtant, ajoute-t-il, « le champ de ses activités, si vaste qu'il soit, est désormais borné : Prométhée doit compter non plus seulement

1. Ernst Bloch, *Le Principe espérance* (trad. franç. Gallimard, Paris 1976).

2. David S. Landes, *The Prometheus unbound* (trad. franç. *L'Europe technicienne : révolution technique et libre essor industriel en Europe occidentale de 1750 à nos jours,* Gallimard, Paris 1975).

3. Jean-Jacques Salomon, *Le Destin technologique* (Editions Balland, Paris 1992), p. 19.

avec la résistance des choses, de la matière, de la nature, mais encore avec celle des hommes, des institutions, des sociétés [...]. Boucle bouclée : la science est prise à ses propres pièges, et nul ne peut céder à l'ivresse des utopies du progrès sans savoir quel en est le coût ».

Dénoncer l'« attitude prométhéenne » de l'homme, comme le font le Pape et le philosophe, revient à prendre position dans un débat ouvert en ces termes sur ce que, depuis Martin Heidegger (1889-1976) en 1954, il est convenu d'appeler la question de la technique[1]. L'essence de la technique n'a rien de technique. Elle est métaphysique. Elle revient à mettre l'existant à disposition de l'entreprise humaine visant à dominer la nature. Et cette mise à disposition, dont les sciences modernes rationalisent les procédures et amplifient les résultats, menace la planète d'une dévastation totale.

Oswald Spengler (1880-1936) dans son fameux livre consacré au *Déclin de l'Occident*[2] (1918) avait, au lendemain de la première guerre mondiale, porté le même diagnostic, mais en imputant, pour sa part, cet irrésistible mouvement au caractère « faus-

1. Martin Heidegger, « La question de la technique » (1954), traduction française in *Essais et Conférences* (Gallimard, Paris 1958), p. 9-48.
2. Oswald Spengler, *Le Déclin de l'Occident* (trad. franç. 2 vol. Gallimard, Paris 1948).

tien » de l'homme occidental moderne. « Aux yeux de l'homme faustien et dans son univers, écrivait-il, tout est mouvement vers un but. Il vit lui-même sous cette loi. Pour lui, vivre signifie combattre, s'imposer. Le destin faustien, c'est l'adaptation. Il confronte le caractère à des décisions. L'âme répond par une éthique dont les éléments sont l'acte, la personne et la volonté, se rapportant non pas aux gestes d'un instant, mais à la vie dans son ensemble. » C'était faire référence au héros de la grande œuvre de Johann Wolfgang von Goethe (1749-1832) qui lui-même mettait en scène une figure légendaire de la littérature populaire allemande : celle du docteur Faustus (v. 1480-v. 1540), lequel, de son vivant déjà, avait alimenté la chronique pour avoir, disait-on, tiré ses pouvoirs extraordinaires d'un pacte avec le Diable. Ce personnage-là était venu, très chrétiennement secondé par Méphistophélès, repousser dans l'ombre le Prométhée que Lord Byron (1788-1824) ou Percy Bisshe Shelley (1792-1822) exaltaient au même moment comme le type même du libre-penseur révolté, triomphant de la tyrannie divine. Il surimposait son visage d'homme tourmenté par une éternelle insatisfaction à la face puissante de l'indomptable Titan longtemps rivé, pour sa punition, à son rocher.

En 1945, Thomas Mann (1875-1955) qui va publier deux ans plus tard son célèbre roman

Le Docteur Faustus – une biographie fictive consacrée à un compositeur qu'il baptise Adrian Leverkühn[1] –, prononce un discours sur « l'Allemagne et les Allemands », où il déclare : « Notre plus grande œuvre, le *Faust* de Goethe, a pour héros l'homme à la frontière entre le Moyen-Age et l'humanisme, l'homme-Dieu, qui se donne au Diable par une soif insolente de connaissance et de pouvoirs magiques. Là où l'orgueil de l'intellectuel s'allie à la dépendance et à l'archaïsme de l'âme, là est le Diable. Et le diable, le diable de Luther, le diable de Faust, me semble être un personnage bien allemand ; et le pacte avec lui, l'abandon au diabolisme, pour pouvoir acquérir pendant quelque temps, en échange du salut de l'âme, toutes les richesses et tout le pouvoir du monde, me semble être une

1. Trad. franç. Le Livre de Poche/Biblio, Paris 1985. Le compositeur contracte la syphilis dans une maison de passe. Un soir le démon lui apparaît et lui propose vingt-quatre ans de « paroxysme créateur » en échange de sa santé. Paroxysme ainsi décrit : « des transports et des illuminations, l'expérience des affranchissements et du déchaînement, un sentiment de liberté, de sécurité, de légèreté, de puissance et de triomphe au point que notre homme en vient à récuser le témoignage de ses propres sens »... Présenté comme l'inventeur, dans ces conditions, de la musique dodécaphonique, le héros ressemble tellement à Arnold Schönberg (1874-1951) que la publication du livre provoquera la brutale rupture d'une longue amitié entre le romancier et le musicien.

chose particulièrement proche du tempérament allemand. »

Figure strictement allemande donc ? Ce jugement semble justifié lorsqu'il s'agit de la littérature romantique. Les pays de tradition germanique cultivent avec une prédilection toujours plus marquée la légende de Faust et ne se lassent point de faire revivre le personnage. En Angleterre, en revanche, on n'en retient guère que le thème essentiel – le pacte avec le diable – très librement interprété dans quelques drames de Lord Byron (1788-1824) *(Manfred, Caïn...)* ou dans la pièce de Thomas Carlyle (1795-1881) intitulée *Sartor Resertus*. En France, les traductions ne tardent pas – à commencer par celle de Gérard de Nerval (1808-1855) –, mais les œuvres qui s'inspirent de Faust se soucient peu de la légende. Il en va ainsi d'Honoré de Balzac (1799-1850) dans *Melmoth réconcilié* ou dans *La Recherche de l'absolu*, et de Gérard de Nerval lui-même qui renonce à écrire un *Faust* pour se consacrer à son *Nicolas Flamel, l'Alchimiste...* L'Espagne et l'Italie restent pour leur part étrangères à Faust. Le thème du pacte avec le diable se répand cependant universellement par la suite, dans la littérature, la musique, le théâtre puis le cinéma. Au moment même où Thomas Mann accusait le caractère allemand de Faust, aux Etats-Unis, on commençait à comparer à son destin celui du physicien Julius Robert

Oppenheimer (1904-1967), l'organisateur du laboratoire-caserne de Los-Alamos. On n'a pas cessé depuis[1].

Dès la fin des années soixante-dix, à tort ou à raison, ce n'est plus la physique atomique qui suscite les terreurs les plus puissantes. Elles se concentrent sur les exploits actuels ou annoncés du génie génétique. Exploits que le Pape enveloppe avec l'avortement et l'euthanasie dans la même réprobation comme attentatoires à la dignité de la personne humaine.

Un autre personnage a ainsi vu grandir son rôle sur la scène de nos consciences inquiètes : Victor Frankenstein, traînant, comme il se doit, sa créature grimaçante derrière lui.

Dans la Préface qu'il a donnée à la traduction française de l'important ouvrage de Moshe Idel[2] sur *Le Golem*, Henri Atlan, membre du Comité national d'éthique des sciences de la vie et de la santé, cite opportunément le rapport d'une Commission présidentielle américaine intitulé *Splicing Life* (Découper la vie) qui s'interrogeait en 1982 sur les bienfaits et les dangers de l'ingénierie génétique appliquée à l'homme. On y

1. Giovanni Incorvati, « Hasard et nécessité dans les lois scientifiques et juridiques » in *Théorie du droit et science* sous la direction de Paul Amselek (PUF, Paris 1994).

2. Editions du Cerf, Paris 1992.

lit : « Comme le conte de l'apprenti sorcier ou le mythe du Golem créé à partir d'une poussière sans vie par le rabbin du seizième siècle, Loeb[1], de Prague, l'histoire du monstre du docteur Frankenstein nous rappelle la difficulté à rétablir la situation quand une création destinée à être bénéfique se révèle au contraire destructrice. »

S'interrogeant sur les motifs de la faveur dont jouit depuis le début des années quatre-vingt le mot de « bioéthique » qui a pris le pas sur l'expression traditionnelle d'« éthique médicale », le neurobiologiste Alain Prochiantz écrit de son côté : « L'extension de l'éthique médicale à la "bioéthique" est bien liée, pour une part, à la crainte que les découvertes perçues à juste titre comme révolutionnaires de la biologie moderne ne conduisent à une sorte d'Hiroshima cellulaire. Comment ne pas comprendre et partager cette crainte quand on sait l'intérêt des militaires pour tous les types d'armements "modernes", l'outil bactériologique n'étant pas le moins prisé des ornements de la panoplie guerrière. » Et il ajoute : « Cette crainte se double d'une angoisse plus profonde, la biologie moderne, par le biais de la génétique étant supposée capable de s'attaquer à l'individu, vous ou moi, et de le transformer. A la réalité froide,

1. Jehouda Loeb ben Bezalel (1512-1609).

calculatrice et sanglante d'Hiroshima vient se mêler le vieux mythe de Frankenstein[1]. »

Quoi qu'il en soit pour l'instant du Golem et de sa passionnante histoire, on ne saurait guère douter de la fascination qu'exerce sur notre temps le personnage inventé en 1816 par Mary Shelley (1797-1851) au moment même où la grande notoriété du *Faust* de Goethe (la première partie publiée huit ans plus tôt) commençait à s'affirmer[2]. Les auteurs du rapport américain prennent visiblement le roman au pied de la lettre dans le droit fil des alarmes exprimées en 1974 par les biologistes quant aux menaces que ferait peser sur l'espèce la dissémination incontrôlée d'un micro-organisme génétiquement manipulé. Hans Jonas avait donné à cette question une portée métaphysique : avons-nous le droit d'altérer la forme humaine dont nous avons reçu l'héritage ?

On est en droit de s'interroger sur la présence persistante de ces trois personnages qui font sarabande dans nos têtes occidentales modernes. Notre monde n'est-il pas réputé « désenchanté », régi sinon dominé par une rationalité techno-scientifique qui ne professe guère de complaisance envers les modes

1. Alain Prochiantz, « La bioéthique existe-t-elle ? » in *Encyclopédie méthodique Quillet* (1991), p. 181.
2. Mary W. Shelley, *Frankenstein ou le Prométhée moderne* (il existe plusieurs éditions du texte en français dont France Graphic Publications, Paris 1989).

mythiques de la pensée ? Doit-on les tenir pour de simples figures littéraires et théâtrales, qui seraient à leur place sous les plumes théologiques et philosophiques, mais tout juste bonnes à fournir quelques ornements rhétoriques aux écrits de chercheurs en mal de spéculation et d'administrateurs en quête de respectabilité culturelle[1] ?

Ne nous invitent-ils pas à récuser l'idée si communément admise qu'il se serait produit en Occident une « rationalisation intégrale » de l'existence ? Il nous faudrait alors redécouvrir cette simple vérité que l'imaginaire tient irréductiblement à la condition humaine, et qu'on ne saurait l'abolir. La raison au nom de laquelle on a prétendu depuis trois siècles l'expulser de la science entretient peut-être avec lui des rapports plus étroits qu'on ne l'admet.

Si Prométhée, Faust et Frankenstein se présentent comme trois figures mythiques majeures de cet imaginaire en Occident, faut-il les considérer comme trois incarnations d'un même mythe dont les versions succes-

---

1. Quelques années après *The Prometheus unbound* de David S. Landes, Jean-Jacques Salomon analyse la résistance au progrès technique dans un rapport à destination de la Commission européenne. Son texte est publié sous le titre de *Prométhée empêtré : la résistance au changement technique* (Pergamon, Paris 1971). Dans *Le Destin technologique* (Editions Balland, Paris 1992), il porte un regard rétrospectif sur ce parcours.

sives se relaieraient pour peindre et dénoncer la démesure humaine – cette fameuse « hybris » que condamnait l'éthique grecque ? On devrait alors interpréter les innombrables textes qui les mettent en scène comme illustrant les « métamorphoses d'un mythe ».

Les historiens qui se sont essayés à établir cette stricte filiation ont pourtant buté sur une difficulté de principe[1]. S'agit-il vraiment d'un seul mythe diversement traité ? Malgré le sous-titre donné par Mary Shelley à son roman, on avouera qu'il faut, par exemple, faire un douloureux effort d'imagination pour voir en Victor Frankenstein un « Prométhée moderne ». Comment ne pas rester aussi perplexe qu'admiratif devant les tentatives de tel interprète s'ingéniant à identifier le « monstre » gigantesque et balourd, créé par l'étudiant en médecine d'Ingolstadt, à l'aigle antique qui chaque jour fend l'air pour venir, sur ordre de Zeus, dévorer le foie de Prométhée ? Quel tournis lorsqu'on veut faire du même *Frankenstein* un « *Faust* inédit » ! Qui sera Méphisto ? Sera-ce Victor ou sa créature ? On oscille de l'un à l'autre. Les plus subtils optent pour un compromis : il n'y aurait qu'un seul personnage, un « personnage double ». Ce qui ne va pas sans inci-

1. L'ouvrage de référence est celui de Charles Dédeyan, *Le Thème de Faust dans la littérature européenne, du romantisme à nos jours* (Lettres modernes, Paris 1967).

dences vertigineuses sur la filiation supposée de Faust à Prométhée...

Peut-on même parler de « mythe » à propos de ces trois personnages, si l'on prend le terme au sens d'une forme littéraire déterminée ? A ne considérer que Prométhée, la réponse ne va nullement de soi : personnage épique figurant dans les grands poèmes d'Hésiode (milieu du huitième siècle av. J.C.), il devient avec Eschyle (525-456 av. J.C.) un héros de tragédie, mais au prix de bien des libertés prises avec le récit initial, avant que Platon (427-347 av. J.C.) ne charge le sophiste Protagoras de lui donner figure philosophique. Mais son histoire n'a plus guère alors de lien ni avec celle que raconte Hésiode ni même avec celle qu'Eschyle met en scène... Quant au héros du « drame lyrique » de P. B. Shelley *(Prométhée délivré)*, l'auteur prend lui-même soin de marquer la distance qui le sépare de son lointain ancêtre grec. Qu'en est-il de la légende de Faust ? Elle a été fabriquée au seizième siècle à partir de la vie d'un individu dont l'existence historique est attestée. Elle a subi sur scène de multiples transformations depuis la pièce que lui consacra le sulfureux Christopher Marlowe (1564-1593), le premier à avoir donné figure tragique au héros. Quant à Victor Frankenstein, il n'est d'abord qu'un personnage de roman. Le renfort du cinéma – Boris Karloff jouant le rôle du monstre dans le film de

James Whale en 1931 – a puissamment contribué à lui conférer une notoriété universelle. Au prix d'une confusion dans le public qui attribue « spontanément » le nom du créateur à sa créature[1]...

Mais on peut se donner une conception plus large de la réalité mythique comme constituée par l'ensemble des récits qui mettent en jeu et à l'épreuve les solutions que l'homme, aux prises avec les grandes énigmes de sa condition, doit sans cesse inventer pour continuer à vivre. Nos trois personnages peuvent alors être à juste titre tenus pour trois grandes figures mythiques[2]. La question de l'identité du contenu, et même du sens du mythe cessera d'embarrasser. Les « mythiciens » savent qu'il existe toujours des versions variées d'un même mythe. Ils n'ignorent pas que de l'une à l'autre il se produit des processus de « dérivation » qui peuvent aller jusqu'au renversement de la signification éthique du récit. Gilbert Durand écrit : « Un ensemble historico-social peut, en effet, non seulement "ignorer" un mythe en totalité ou en partie, mais encore le minimiser, le dénoncer, le limiter dans des frontières euphémisantes[3]. »

1. Cf. l'argumentation de Jean-Jacques Lecercle in *Frankenstein : mythe et philosophie* (PUF, Paris 1988).
2. Ce que visait Gilbert Durand en 1960 par l'expression « structures anthropologiques de l'imaginaire ».
3. Gilbert Durand, « Permanence du mythe et chan-

Le personnage de Prométhée se prête bien à une telle analyse. Figure majeure de la culture hellénique, on le voit s'éclipser de la culture pendant la période de l'expansion du christianisme. Il réapparaît flamboyant au temps de la Renaissance, puis triomphant dans les dernières décennies du siècle des Lumières, et ne quitte plus guère la scène de l'imaginaire jusqu'à nos jours. Il subit une dérivation permanente de contenu et de sens au risque d'un véritable retournement. De la justification du malheur des mortels (Hésiode) à l'exaltation d'une justice supérieure aux lois de la Cité (Eschyle) puis à l'exaltation de la révolte contre les dieux (Shelley, le jeune Marx) à la condamnation du péché d'orgueil (le Prométhée romantique), puis à ce héros dont Jean Grenier écrivait en 1961 qu'« il incarne l'esprit moderne dans son intarissable élan vers un monde qu'il croit meilleur, à travers une série ininterrompue de catastrophes[1] »... Lorsque Mary Shelley donne à son roman le sous-titre « Prométhée moderne », la charge de dérision de cette allusion est manifeste. Elle situe en réalité son personnage au croisement de deux lignées mythiques : celle en effet qui provient de Pro-

gements de l'histoire » in *Le Mythe et le mythique* (Cahiers de l'Hermétisme/Albin Michel, Paris 1987).

1. Jean Grenier, *Inspirations méditerranéennes* (Gallimard, Paris 1961).

méthée – le héros – qui doit expier d'avoir voulu se faire le bienfaiteur de l'humanité au détriment des dieux ; celle qui vient d'aboutir au premier *Faust* de Goethe : l'homme qui par désir insatiable de satisfaire ses appétits se prête à un pacte avec le diable au risque de la damnation.

Ce dernier croisement n'aurait sans doute pas été possible sans l'intervention de deux autres lignées mythiques : celle de la très ancienne fable de l'apprenti-sorcier qui déchaîne des forces qu'il ne peut plus, faute d'être un Maître, maîtriser ; celle du Golem, plus récente malgré la haute antiquité des textes auxquels elle se réfère, c'est-à-dire la légende juive selon laquelle il serait possible de créer artificiellement un être humain pour peu qu'on soit expert dans la science des noms sacrés.

Le juriste Jean-Pierre Baud fait remarquer que, au regard des autres mythes concernant le savoir, « Frankenstein l'a emporté »[1]. Sans

1. Jean-Pierre Baud, « Le savant fou » in *Science ou justice ? Les savants, l'ordre et la loi.* Revue *Autrement* n° 145, mai 1994, p. 122-131. L'auteur de cet article stimulant passe sous silence la référence à Prométhée pour voir dans *Frankenstein* une transcription modernisée du mythe de Faust. Ce mythe, à ses yeux, a pour thème essentiel la définition de la légalité scientifique. Il écrit : « Au final, c'est Frankenstein qui l'emporte parce que c'est lui qui a le plus d'impact dans la culture populaire à laquelle, depuis le dix-neuvième siècle, Faust n'appartient plus. »

aucun doute. Et ce sont les yeux glauques du monstre créé par l'étudiant en médecine de l'Université d'Ingolstadt qui nous fixent de leur regard lourd de reproche et de menace, à la faveur d'un sinistre rayon de lune.

Ce fait, à lui seul, suffirait à montrer que le jeu des lignées mythiques ne s'effectue pas seulement en fonction de leur « logique » propre, mais sollicité par des événements « extérieurs ». En l'occurrence, comme l'ont fort bien compris les chercheurs, les experts ainsi que les autorités théologiques et politiques, ce sont les développements des applications possibles des sciences biologiques qui sont venus donner à *Frankenstein* toute l'actualité de son pouvoir de fascination. On s'inquiète. L'homme moderne, prométhéen et faustien, n'est-il pas en train de devenir frankensteinien ?

Mais en quel sens ? Y aurait-il, selon le mot de Mary Shelley, des « connaissances interdites » ? Des « crimes du savoir » dont le châtiment serait à la mesure de la gravité, c'est-à-dire absolue ? Les réflexions éthiques se focalisent volontiers sur le mal. Les biologistes ne viennent-ils pas d'apporter aux penseurs cet inestimable présent : une identification du « mal radical » ? Jean-Paul II a raison : les possibilités techniques ouvertes par les sciences biologiques viennent mettre en péril tout l'édifice des croyances et pratiques qui, autour des plaisirs du sexe, de l'énigme de la naissance et de la crainte de la mort, ont par voie symbolique organisé depuis deux millénaires les rapports imaginaires que les êtres humains occidentaux entretiennent entre eux comme avec eux-mêmes, non sans tragédies ni parfois sans délices.

Faut-il, devant la débâcle annoncée, suivre le conseil de la jeune romancière et rebrousser chemin ? Il y a peut-être meilleur parti à prendre : l'éthique, après tout, ne saurait se résumer à quelque fidélité envers des textes sacrés. Le véritable Prométhée moderne ne serait-il pas celui qui oserait reprendre le chemin de l'interrogation non sur la seule nature du mal mais aussi sur la perspective du bien ?

*

* *

Du Ciel sans nuage qui régnait, implacable, sur les confins du monde hellénique aux étendues glacées de la nuit arctique, de Prométhée endurant son destin sous un soleil écrasant à Frankenstein rencontrant enfin le sien sur la banquise, la scène ne cesse de s'assombrir, malgré les éclats contrastés du voyage faustien. Assistons-nous décidément au déclin de l'Occident ? Vivons-nous un très long crépuscule d'où le célèbre oiseau de Minerve se serait absenté pour laisser rôder ces trois ombres blanches chargées de nos angoisses plus que de nos espérances ?

Ne nous hâtons pas.

De ce jour qui peut-être tombe, voici d'abord l'aube.

Le crime de Prométhée

Epopée

Voici donc Prométhée, celui qui « pense avant » ou « en avant ». Ses ascendances remontent très haut dans la pensée grecque. Il fait son entrée en scène dans la *Théogonie* d'Hésiode au huitième siècle avant Jésus-Christ. Poème épique qui présente la naissance et l'engendrement des Dieux dans le grand tumulte des passions amoureuses et guerrières, au prix de bouleversements répétés de l'ordre du monde[1]...

Du Chaos, gouffre sans fond, « espace

1. Si nous ne savons rien de certain sur Hésiode en dehors de ce qu'il en dit lui-même, du moins sommes-nous assurés qu'il est bien celui qui a composé les œuvres que nous lui attribuons. Ce qui est déjà beaucoup. Mes références seront pour l'essentiel à l'édition de Paul Mazon rééditée à Paris aux éditions des Belles Lettres (14e tirage) en 1993. J'ai pris la responsabilité de retraduire les textes grecs (puis latins) que je cite chaque fois que cela m'a semblé nécessaire.

d'errance infinie[1] » balayé de bourrasques, le poète nous dit que d'abord se détache Gaïa, la Terre aux larges flancs, le séjour de tous les vivants, puis Eros, le plus beau parmi les dieux immortels. Du même abîme surgissent ensuite Erèbe, la Nuit noire, et de la Nuit noire on voit sortir Ether, la Lumière du jour. Commence alors la grande série des enfantements de Gaïa : Ouranos (le Ciel étoilé) qui la couvre tout entière et où résident les dieux, ensuite les hautes montagnes où vivent les Nymphes, et enfin la mer inféconde. Autant de naissances sans union sexuelle préalable, souligne Hésiode... Cela suffit pour que le cosmos – ordre et beauté – soit apparemment en place. Mais une nouvelle période s'ouvre lorsque Gaïa, couverte par l'insatiable Ouranos, se trouve successivement grosse d'Océanos et des douze Titans. Des mêmes embrassements se trouvent également engendrés les trois Cyclopes et les trois Cent-Bras.

De toute évidence, il s'agissait là de redoutables rejetons. Leur père, craignant leurs menées, les prenait en haine dès avant leur naissance et ne les laissait point venir à la lumière du jour. Il les repoussait dans les

1. La formule est de Jean-Pierre Vernant dans un essai (1981) reproduit en guise de Préface à la traduction de la *Théogonie* par Annie Bonnafé aux éditions Rivages/Poche.

flancs de Gaïa qui enflait, gémissait et suffoquait de ne se trouver ainsi jamais délivrée.

Kronos, le dernier d'entre eux à se présenter, l'immense dieu aux pensées fourbes, prête l'oreille aux plaintes de sa mère, et décide par compassion de la libérer de cette tyrannie. Elle se fait volontiers sa complice en lui remettant une serpe bien affûtée. Et lorsqu'à la nuit tombée, brûlant d'amour, Ouranos vient comme chaque soir étreindre Gaïa, Kronos n'a qu'à étendre le bras. D'un geste sec, il lui tranche les génitoires.

Passons sur le destin oniriquement fécond de ces organes voguant librement sur les flots et y déposant leur écume vagabonde... Après un tel outrage, la guerre devait se déchaîner entre Olympiens et Titans. Kronos, le rescapé, s'étant uni à Rheia, sa sœur, il en naît une glorieuse progéniture. Mais ayant appris de Gaïa que son propre destin était de succomber par l'un de ses fils, il prend soin de dévorer méthodiquement tous ses enfants. Son épouse en souffre et sa douleur lui inspire une ruse. Le jour de la naissance de Zeus, elle le soustrait à l'appétit de son père, elle l'emporte en Crète et le cache dans les profondeurs inaccessibles de Gaïa. C'est une pierre enveloppée dans un linge qu'absorbe Kronos cette fois-ci, sans s'en apercevoir. Zeus peut ainsi grandir au loin. Il prend des forces et ne tarde pas à engager le combat contre son père, lequel, vaincu, doit recracher la pierre et ses autres enfants. Le libérateur se fait alors reconnaître comme le souverain des Immortels aussi bien que des mortels. Il dispose de « la foudre et l'éclair », instruments de son pouvoir qui lui permettent de commander à tous.

C'est ici qu'intervient Prométhée, le fils du Titan Japet. Il porte en son nom le trait qui le singularise : plus que le « prévoyant », il apparaît dans la *Théogonie* comme celui qui prémédite ses mauvais coups ; il est le rusé, le roué sinon le fourbe. De fait, le temps étant venu pour les dieux et les hommes mortels de régler leur querelle, on voit Prométhée prendre le parti de la race humaine. Il essaye de tromper Zeus, le tout nouveau et très irascible souverain des Olympiens. D'un bœuf de grande taille qu'ils doivent se partager, il fait deux lots : d'un côté, il rassemble les « chairs et entrailles lourdes de graisse » – les bons morceaux –, mais il les enveloppe et les dissimule dans la peau de l'animal, ce qui n'est guère ragoûtant ; de l'autre, il dispose les os nettoyés de toute chair, mais prend soin de les recouvrir de graisse blanche pour les rendre appétissants.

Ici se joue une étrange et belle scène. Prométhée invite Zeus à faire son choix. Il est convaincu que le dieu se réglera sur l'apparence et se laissera tromper.

Railleur et sûr de lui-même, Zeus s'adresse à lui : « O fils de Japet, le plus noble parmi tous les chefs, quelle partialité, mon bon, dans la composition de tes lots ! » Prométhée ne se tient plus de bonheur. La naïveté du jeune souverain se confirme à ses yeux. Il répond avec un petit sourire : « O Zeus très grand, le plus grand des dieux nés pour vivre éternellement, choisis donc de ces deux lots celui que ton cœur en tes entrailles t'indique de prendre. » A ces mots sans doute trop appuyés, le maître de l'Olympe comprend soudain la ruse. Il enrage et déjà médite en son esprit les maux dont il projette d'accabler les mortels humains pour se venger du favoritisme de Prométhée.

Mais Zeus n'en dit d'abord rien. Il feint de se laisser prendre à la feinte. Il choisit le lot le plus alléchant. A deux mains, il soulève alors la graisse blanche. Les os nus de la bête, à découvert, apparaissent aux yeux de tous. La tromperie de Prométhée est ainsi rendue manifeste, le scandale de sa fourberie mis en scène. Hésiode écrit qu'à ce spectacle la colère s'empare de l'esprit du dieu et que « la bile envahit son cœur ». Les exégètes s'interrogent : pourquoi cette colère alors seulement ? Zeus n'avait-il pas déjà percé Prométhée à jour ? Certains jugent le texte suspect et parlent d'interpolation. Ces vers donnent pourtant l'essentiel de la logique de ce récit : à mesure qu'il dévoile lui-même publiquement l'humiliation que Prométhée voulait lui faire subir, monte la colère de celui dont l'autorité se trouve ainsi bafouée. Il en donne physiquement le spectacle. Sa terrible vengeance sera ainsi légitime aux yeux de tous[1].

On comprend que la scène puisse alors se figer un instant. Avant que Zeus ne prenne la parole pour accabler Prométhée de reproches, le poète interrompt en effet le récit et vient théoriser en son propre nom : « C'est depuis lors que sur terre aux Immortels les êtres humains réunis en tribus brûlent les os blancs de victimes sur les autels odoriférants. » Les historiens le confirment : il s'agit d'un rite attesté dans les sacrifices. La part du dieu est constituée par les cuisses de l'animal et les os des autres membres, le tout recouvert de graisse. Le dieu est alors supposé recevoir don de la victime dans son intégralité. Les mortels, l'ayant ainsi symboliquement tout entière offerte, ont tout loisir de se nourrir du reste – l'essentiel – de la chair de l'animal. Bel exemple d'accommodement avec le Ciel !

Mais revenons à Zeus qui trouve alors des mots sarcastiques pour exprimer sa colère : « Fils de Japet, toi qui n'as pas ton pareil en matière de fourberies, mon bon, ce n'est donc pas encore demain la veille qu'on te verra oublier ton art de tromper ! »

La vengeance de Zeus, qui gardera toujours le ressentiment d'une pareille duperie, se porte d'abord contre ceux auxquels elle devait bénéficier, les mortels humains. Par

1. *Théogonie*, vers 535-555.

mesure de rétorsion, le dieu décide de ne plus désormais faire tomber la foudre sur les frênes ; il privera ainsi les hommes du feu qu'ils pouvaient jusqu'alors recueillir lorsque, du coup, ces arbres s'embrasaient. Punition dont Hésiode laisse entendre qu'elle met en péril l'existence même de l'espèce humaine. Cela tient-il à ce que ce feu est ici présenté comme celui qui permet de cuire les aliments ? Ou, plus vraisemblablement, à ce que le feu, comme le poète vient de le rappeler en incidente, constitue par excellence l'instrument des sacrifices ?

Toujours est-il qu'intervient alors la deuxième grande ruse du Titan, celle qui va inscrire pour jamais sa statue fière et douloureuse dans la culture occidentale. Pour conjurer la menace, Prométhée trompe la vigilance de Zeus et lui dérobe « le feu qu'on voit au loin » ; il en fait don aux mortels en le leur apportant « au creux de la tige d'une férule » *(narthex)*. Les historiens : il s'agit d'un arbrisseau d'une hauteur allant de un à trois mètres, qui ressemble à un plant de fenouil géant. Sa tige cylindrique, de deux à trois centimètres de diamètre, renferme, entre deux nœuds, une moelle fibrineuse semblable à celle du sureau qui prend feu assez aisément et se consume très lentement sans brûler l'écorce. Les paysans grecs l'utilisaient encore au début de ce siècle lorsqu'ils voulaient emporter un tison aux champs pour préparer leur nourriture.

Le texte ne dit pas en quoi consiste, cette fois-ci, exactement la « duperie » de Prométhée. Les versions ultérieures du récit exploiteront ce silence à des fins interprétatives diverses. Il est sûr, en revanche, que la manœuvre aboutit et connaît un plein succès. « Lorsqu'il voit briller sur terre parmi les hommes l'éclatante lueur du feu, la colère s'empare du cœur de Zeus blessé en son âme[1]. »

On pourrait s'attendre à ce que le tout-puissant maître de l'Olympe, « celui qui gronde dans les nuées », cherche alors à se réapproprier le feu que Prométhée lui a ainsi dérobé. Il n'en est rien. La logique du récit veut qu'il prenne acte du vol et que, malgré son immense irritation, il renonce à condamner l'humanité à disparaître. Il ne peut pourtant laisser ainsi défier son pouvoir sans réagir. En contre-partie de l'involontaire bienfait auquel il doit consentir, il décide de « forger un mal destiné aux humains ». A Héphaïstos, le très illustre forgeron boiteux, il ordonne de façonner avec de la terre une forme « qui ait toute l'apparence d'une chaste vierge ». Athéna, la déesse aux yeux pers, fournit la parure : grâce aux voiles, aux couronnes de fleurs et au diadème d'or dont elle l'orne

1. *Théogonie*, vers 560-565.

richement, cette forme acquiert le pouvoir d'enflammer le désir. Ce « mal délicieux » n'est autre que Pandora, la première de toutes les femmes, que la *Théogonie* présente comme le « grand fléau des mortels ». *Les Travaux et les jours* font écho. A Prométhée, Zeus adresse ces paroles : « Fils de Japet, toi qui t'y connais plus que tout autre en matière de fourberies, tu te réjouis d'avoir volé le feu et d'avoir ainsi trompé mon âme, mais c'est pour ton plus grand malheur comme pour celui de tous les hommes à venir. En contrepartie du feu, je leur ferai don d'un mal, d'où il résultera que tous se réjouiront dans leur cœur de brûler d'amour pour la cause de leur propre malheur. » Suit alors le récit de la venue au monde de Pandora. Aphrodite apporte à cette fin son concours à Héphaïstos et Athéna[1].

Le nom de « Pandora », affirme Hésiode, révèle l'intention de Zeus : marquer que tous *(pantes)* les habitants de l'Olympe se joignent à lui et envoient, avec ce don *(doron)*, le malheur aux hommes, lesquels sont désignés ici comme « les mangeurs de pain », sans doute pour rappeler ce qu'ils doivent à Prométhée (la cuisson de leurs aliments). C'est Epiméthée, le médiocre frère du Titan bienfaiteur, celui qui pense toujours « après coup » ou « à côté », que Zeus charge du funeste cadeau par l'intermédiaire d'Hermès.

---

1. *Les Travaux et les jours*, vers 43-85.

L'histoire se coupe alors en deux. « La race humaine vivait auparavant sur la terre à l'abri des peines, de la dure fatigue et des maladies douloureuses qui apportent aux hommes le trépas. » Ces réalités s'imposent désormais à eux comme d'implacables contraintes. Mais les mortels ne sont pas les seuls à subir ainsi la vengeance de Zeus. A Prométhée, il réserve également une épouvantable punition. La *Théogonie* la décrit en ces termes : Zeus fait charger le Titan de liens impossibles à dénouer, autant d'entraves douloureuses qui le rivent à une colonne érigée dans une région désertique, aux confins septentrionaux du monde, dans le Caucase dira-t-on plus tard. Puis il lâche sur lui un aigle aux grandes ailes ; et l'aigle dévore, chaque jour durant, son foie immortel, qui reconstitue pendant la nuit la part qui lui a ainsi été enlevée.

Le récit rappelle, contre toute attente, qu'Héraclès a finalement, d'une flèche bien ciblée, abattu l'oiseau, puis obtenu de Zeus qu'il renonce à sa rancune à l'encontre de Prométhée. On n'en saura pas davantage sur ce pardon, ni s'il implique que Prométhée ait été ultérieurement délivré[1]...

Cette première figure de Prométhée re-

---

1. Werner Jaeger fait à juste titre remarquer que « la façon dont Hésiode raconte, entre autres, les légendes de Prométhée et de Pandora, suppose qu'elles étaient déjà connues des auditeurs » (*Païdeia*, trad. franç. Gallimard, Paris 1964).

cueille visiblement des traits empruntés à plusieurs récits mythiques. On en voit les caractères essentiels : non point l'audace, mais l'art de la tromperie qui vise à protéger l'humanité contre les excès de pouvoir auxquels le bouillant Zeus se laisse emporter. Le vol du feu n'apparaît nullement comme celui par l'humanité d'un savoir réservé aux dieux. Un immortel veut bien plutôt rendre aux mortels un instrument de survie dont la bienveillance de Zeus leur avait permis de disposer auparavant et dont il prétend injustement, par dépit, les priver.

La punition de Prométhée, si éclatante qu'en soit la description, apparaît somme toute comme secondaire par rapport à celle qui frappe les humains par le don de Pandora. Prométhée n'appartient-il pas lui-même au monde divin ? Il n'est que le héros de l'une des multiples batailles dans le Ciel qui ont présidé à la mise en place du Cosmos. Le poème n'incite l'auditeur ou le lecteur à nulle identification. Par contre, avec l'arrivée de Pandora, c'est la condition humaine qui change irrémédiablement pour devenir, indique crûment Hésiode, l'atroce réalité que nous connaissons. La femme soulève le large couvercle de la jarre dont on l'a chargée. Tous les maux qui s'y trouvaient renfermés s'en échappent et se dispersent de par le monde. Seul l'espoir hésite à sortir. Pandora a refermé le couvercle avant qu'il n'ait pris son élan[1].

Tragédie

Lorsque le personnage de Prométhée fait sa deuxième entrée dans la culture grecque, des siècles ont passé. La Cité athénienne connaît alors son apogée. Au nombre des institutions nouvelles dont elle s'est dotée figure le théâtre qui y joue un rôle essentiel. Un genre fleurit qui connaît une éclosion soudaine, une fortune éblouissante : le genre tragique. Nous savons que sa vie sera éphémère : pas plus de quatre-vingts ans. Eschyle, un homme qui par deux fois participa, en 490 (Marathon) et en 480 (Salamine), aux combats décisifs pour la survie de la Cité contre ses ennemis extérieurs, écrit et donne la pièce intitulée *Prométhée enchaîné*. Le personnage qui y figure sous le même nom serait-il *le même* que celui du poème d'Hésiode ? Il n'en est rien, car pour lui conférer le caractère et la dimension tragiques, Eschyle a dû recomposer la figure du Titan selon la perspective générale, morale et

1. On comprend que dans *Les Travaux et les jours*, Hésiode s'adressant à son fainéant de frère, Persès, enchaîne sans transition sur un nouveau mythe, celui de l'âge d'or et des six âges qui l'ont suivi. Le thème est le même : une généalogie du malheur qui règne parmi les hommes.

politique, de son théâtre : celle du triomphe inéluctable de la justice divine dans les affaires humaines. De ce qu'Athènes, évacuée par ses habitants, menacée par les barbares, avait été sauvée ; de ce que l'envahisseur, après s'être montré sacrilège, avait été durement puni, le dramaturge avait en effet, avec nombre de ses contemporains, tiré la leçon qu'une telle justice existe, et qu'elle finit par s'imposer pour peu que les mortels par leur héroïsme aident les dieux à établir son règne[1].

Le personnage épique de Prométhée, tel qu'on le découvre chez Hésiode, ne s'inscrivait manifestement pas dans cette perspective. En guise de justice divine, on voit plutôt dans le poème s'exercer la démesure et l'injus-

---

1. L'édition des tragédies d'Eschyle de la collection Folio (Gallimard) reprend la traduction classique de Paul Mazon (Les Belles Lettres, 1921 et 1925) avec une importante Préface de Pierre Vidal-Naquet où, après Arnaldo Momigliano, il donne au théâtre d'Eschyle sa perspective la plus large : « Confucius, le Boudha, Zoroastre, Isaïe, Héraclite – ou Eschyle. Cette liste aurait probablement intrigué mon grand-père et les hommes de sa génération », écrivait l'historien italien. Et il ajoutait : « Aujourd'hui elle a un sens et ce fait symbolise le changement de nos perspectives historiques... Ces hommes ne se sont pas connus les uns et les autres... Cependant nous sentons que nous avons découvert maintenant un dénominateur commun qui fait que tous, ils nous concernent... » Vidal-Naquet énonce ce « quelque chose qui nous concerne » : une même réflexion sur les rapports entre la justice des hommes et celle des dieux.

tice de Zeus. Les stratagèmes du Titan visent à sauver l'humanité de l'hostilité que nourrit le maître de l'Olympe à l'encontre des mortels, mais sans jamais que les motifs – justes ou injustes – n'en soient énoncés. Quant à la punition du fils de Japet – effet second de la colère divine – elle ne se donne pas pour juste. La longue plainte du rebelle puni ne saurait d'ailleurs, faute de lutte réelle entre les personnages, constituer un thème tragique au sens où Eschyle le conçoit.

On objectera que la pièce d'Eschyle est cependant occupée pour l'essentiel par une telle plainte, puissamment orchestrée par le chœur. Raison pour laquelle longtemps certains spécialistes ont considéré qu'on l'attribuait à tort à l'auteur des *Perses*. Mais c'est oublier que *Prométhée enchaîné* ne constituait qu'un élément d'une trilogie – vraisemblablement le premier –, laquelle comportait aussi un *Prométhée délivré* dont on connaît quelques fragments, et un *Prométhée porte-feu* dont on n'a conservé qu'un seul vers. D'après les renseignements qui permettent d'imaginer le contenu des deux autres pièces, le caractère tragique de la première ne fait pas de doute. Et l'on peut donner tout leur sens aux transformations qu'Eschyle a fait subir au personnage qu'il recevait de la tradition épique[1].

1. Sur ces discussions, voir Jacqueline de Romilly, *La Tragédie grecque* (PUF, Paris 1970) p. 62-65.

Lorsque le spectacle commence, « Pouvoir » (*Kratos*) et « Force » *(Bia)*, serviteurs de Zeus, encadrent Héphaïstos, le dieu des forges qui renâcle à la tâche. Ils veillent à ce que l'ordre du maître soit exécuté. La compassion n'est pas de mise ! Prométhée devra, sur un rocher dans le désert, « monter une garde douloureuse », toujours debout « sans jamais prendre de sommeil ni ployer les genoux ». On assiste donc à son enchaînement, minutieusement décrit dans toute sa cruauté et sa brutalité. « Un nouveau maître est toujours dur ! » lâche Héphaïstos qui se plaint de ce que le cœur de Zeus soit inflexible. « Pouvoir » clôt la question : « Tout être a vu jadis son sort bien défini – hormis le roi des dieux : nul n'est libre que Zeus ! »

Ils sortent.

Prométhée n'a dit mot durant toute cette opération. On lui a lié les bras et les pieds. Ainsi ligoté, on l'a rivé au rocher par une ceinture d'airain.

Laissé à sa solitude, on l'entend qui prend le Cosmos à témoin de l'injustice qui le frappe : « Oui, c'est pour avoir fait un don aux mortels que je ploie sous ce joug de douleurs, infortuné ! »

A première vue, toute la pièce se résume ensuite à une longue récrimination sur ce thème. Elle s'enfle au gré des visites que font au puni Océanos, puis la malheureuse Io poursuivie par son inséparable taon[1]. La dernière scène voit Hermès, nouvel envoyé du courroux divin, lui annoncer, plein de zèle, la catastrophe finale. Zeus alors de sa foudre fait voler la cime en éclats, les rochers s'écroulent et ensevelissent Prométhée. « Voyez-vous bien les iniquités que j'endure ? » Tels sont les mots ultimes du bienfaiteur de l'humanité précipité dans l'abîme.

Le chœur n'a cessé d'accompagner ses imprécations sur le registre de l'indignation ou de la commisération. Il ne s'agirait donc pas, à proprement parler, d'une tragédie, laquelle suppose à tout le moins l'existence d'un drame, c'est-à-dire une intrigue pour une action.

Mais le spectateur athénien du quatrième

---

1. Il s'agit assurément de l'une des plus belles scènes de la pièce. Io était la fille d'Inachos premier roi mythique d'Argos. Zeus tomba amoureux d'elle. Des rêves alors la tourmentèrent. Son père la chassa de chez lui. Héra, l'épouse de Zeus, craignant que son mari ne la trompe avec la jeune fille, la transforme en génisse et la fait surveiller par le berger Argos dont le corps était couvert d'yeux ; elle envoie un taon pour la piquer sans cesse afin d'éviter qu'elle ne s'abandonne à Zeus pendant son sommeil. Zeus fit tuer le berger par Hermès. Mais la malheureuse Io se trouva forcée par le taon à errer partout sur la Terre habitée. Elle donna ainsi son nom à une partie de la mer Adriatique (la mer Ionienne). Nous la voyons ici qui arrive, éperdue, courant en tout sens, portant au front deux cornes de génisse, persécutée par son taon... Funeste sort qui, comme celui de Prométhée, met en question la justice divine.

siècle avant Jésus-Christ entretient évidemment avec ce spectacle un autre rapport que nous. Il n'ignore pas que Prométhée est appelé à être délivré. Chaque citoyen connaît bien la légende d'Héraclès, le héros dorien. Or cette légende voulait que ce fût lui, l'infaillible archer, qui eût percé de sa flèche ailée l'aigle persécuteur, mettant fin aux souffrances du Titan. On racontait même que Zeus, fier de l'exploit de son fils, avait accepté d'adoucir le châtiment du rebelle. Il ne lui imposait plus, pour mémoire, que le port d'une bague où, sur un anneau de l'acier de ses chaînes, on avait monté en guise de pierre un petit fragment de son sinistre rocher. On a établi qu'Eschyle a puisé dans cette légende pour écrire *Prométhée délivré*.

La reconstitution du thème de *Prométhée porte-feu* offre sans aucun doute des difficultés plus considérables. Après avoir hésité à en faire la dernière pièce de la trilogie plutôt que la première, les spécialistes s'accordent pourtant à la voir non comme celle du vol initial, mais comme celle de la réconciliation entre Zeus et Prométhée. Pierre Vidal-Naquet rappelle qu'un autel s'élevait à Athènes en l'honneur de ce « porte-feu » et qu'il était vénéré dans le quartier des potiers, le Céramique. Sa statue l'y représentait brandissant une torche[1].

1. Préface aux *Tragédies d'Eschyle, op. cit.*, p. 38-39.

Le sens général de la trilogie ne ferait ainsi point de doute : la Cité athénienne n'est-elle pas la seule à avoir su instituer un culte aux deux rivaux désormais apaisés et réunis ? Elle a compris cette vérité difficile à entendre : qu'il a fallu de longs siècles pour que le dieu de justice devienne enfin lui-même juste. Cela demandait qu'il renonçât à l'excès de ses emportements, et que la modération *(sôphrosynè)* lui inspirât la sage décision de pardonner à l'illustre révolté. Double leçon : cette paix dans l'équité que l'Olympe a conquise, n'y a-t-il pas lieu d'espérer la voir s'établir parmi tous les mortels ? Quelle autre Cité peut-elle y contribuer mieux que celle d'Athènes, si du moins elle fait encore preuve de la longue patience qui convient ? La richesse tirée de l'artisanat, tel qu'il se développe à la faveur de la paix civile, viendra la récompenser...

Ainsi restituée dans le cadre de la trilogie et réinscrite en son temps, la pièce dont nous connaissons le texte, *Prométhée enchaîné*, prend un relief différent. En dépit des apparences, l'essentiel ne réside pas dans l'interminable plainte de Prométhée, mais dans la menace que, du fond de sa détresse, le Titan fait peser sur Zeus. Eschyle innove ici complètement par rapport à Hésiode. Il semble qu'il ait recours à une autre légende fort connue de ses concitoyens : celle d'Achille. On y trouve en effet que Thétis, la plus célèbre des

Néréïdes[1], est destinée, à son tour, à engendrer un fils plus puissant que son père. Or Zeus – comme Poseïdon, le dieu de la Mer – convoite la belle! Thémis[2], l'une de ses premières épouses, avait révélé le danger aux dieux assemblés. Craignant que l'ordre du monde ne fût à nouveau bouleversé, ceux-ci s'étaient, ajoutait-on, empressés de donner Thétis à un simple mortel, Pélée. Dans ce récit, Eschyle découvre le ressort dramatique de sa tragédie. Mais il lui faut procéder à un véritable « montage », avec une désinvolture d'ailleurs presque affichée. De la menace, il fait un secret bien gardé. Et de Prométhée son unique dépositaire. Les récits traditionnels rendent la chose pour le moins invraisemblable? Qu'à cela ne tienne : puisque Thémis a dévoilé le secret, il suffira de la présenter comme la mère de Prométhée pour justifier qu'elle le lui ait confié à lui seul. Et pour ne point trop choquer tous les Athéniens auxquels on a appris que la mère de Prométhée n'était autre que Clyméné, Eschyle prend le soin de ne jamais mentionner non plus le nom de son père, ce Japet omniprésent dans la *Théogonie* qui ne pouvait être son époux.

1. Thétis est la fille de Nérée, vénérable Dieu marin, elle sera la mère d'Achille.

2. Hésiode faisait de Thémis (littéralement « l'ordre juste ») l'épouse avec laquelle Zeus avait engendré les Saisons et les Parques.

Tragédie : *Prométhée enchaîné* présente le commencement d'un véritable combat entre Zeus et le Titan. Prométhée ne se contente pas de se lamenter. Il rappelle qu'il dispose d'un secret qui pèse sur le destin de Zeus. Il sait ce qui peut faire perdre au dieu ce pouvoir souverain qu'il exerce contre lui avec tant de brutalité. Il refuse de dévoiler ce secret à quiconque. C'est son arme. Hermès vient, en fils docile de Zeus, tenter de le lui extorquer : « Mon père t'ordonne de parler : quel est cet hymen dont tu fais un épouvantail ? Et par qui doit-il être jeté à bas de son pouvoir ? » Prométhée lui oppose une fin de non-recevoir. Le messager de Zeus se fait menaçant : « Cette cime aride d'abord, mon père, avec son tonnerre et la flamme de sa foudre, la fera voler en éclats ; ton corps englouti n'aura plus d'autre lit que l'étreinte du roc... » Le Titan s'irrite de la servilité d'Hermès : « Contre une servitude pareille à la tienne, sache-le nettement, je n'échangerais pas mon malheur. » Et il ne peut retenir cette exclamation qui, détachée de son contexte, traversera les siècles pour atteindre jusqu'aux oreilles du jeune Karl Marx (1818-1883) : « Je suis franc : je hais tous les dieux ; ils sont mes obligés, et par qui je subis un traitement inique ! »

On trouve ici l'écho d'un deuxième élément dramatique introduit par Eschyle, en pleine cohérence avec le premier. Puisque Thémis se trouve désormais désignée comme la mère du

Titan, il n'y a aucune invraisemblance à voir celui-ci faire mention d'une autre de ses prédictions (« la victoire appartiendra à la ruse plutôt qu'à la force ») pour expliquer que Zeus n'ait vaincu ses adversaires et conquis le pouvoir que grâce au concours de Prométhée. C'est donc son bienfaiteur qu'a condamné le maître de l'Olympe et qu'il a l'ingratitude d'oser persécuter ! A la compassion d'Océanos, le Titan répond par ces mots : « Regarde ce spectacle : moi, l'ami de Zeus, moi qui l'ai aidé à asseoir son pouvoir, vois de quelles douleurs il m'accable aujourd'hui. » Et lorsque le char de son visiteur s'est éloigné, il s'adresse au chœur plaintif des Océanides : « Ne prenez pas mon silence pour affectation ni pour opiniâtreté ; mais une pensée me ronge le cœur, quand je me vois outragé de la sorte : quel autre a donc à ces dieux nouveaux assuré tous leurs privilèges ? » Le Prométhée d'Eschyle tire à l'intention des citoyens-spectateurs cette amère leçon de philosophie politique : « C'est un mal inhérent sans doute au pouvoir suprême que la défiance à l'égard de ses amis ! »

Transporté dans l'univers tragique, le mythe de Prométhée porte ainsi de nouvelles significations. Certes, il s'agit toujours du « voleur de feu » qui défie Zeus au profit de l'humanité, mais l'art de la ruse qui se trouvait mis au premier plan dans la tradition épique n'est plus guère évoqué ; et la pièce ne souffle mot de la punition des mortels par l'envoi de Pandora.

La logique tragique, celle de l'affrontement incertain entre deux puissances autour de la question du droit, conduit Eschyle à étoffer le personnage. Non seulement le Titan n'apparaît plus comme un être sans défense soumis au bon vouloir de Zeus, mais les bienfaits dont l'humanité lui est redevable prennent une tout autre ampleur. Il leur a rendu le feu pour leur survie. Mais Prométhée se flatte d'avoir de surcroît fait don aux êtres humains de toutes les sciences et de tous les arts.

Lorsque les « nouveaux dieux » prirent le pouvoir, rappelle-t-il, « la misère des mortels était grande ». « Des enfants qu'ils étaient encore, j'ai fait des êtres de raison, doués de pensée. » Car « au début, ils voyaient sans voir, ils écoutaient sans entendre et, pareils aux formes qui habitent les songes, ils vivaient leur longue existence dans le désordre et la confusion. Ils ignoraient le travail du bois ; ils vivaient sous terre, comme les fourmis agiles au fond des grottes aveugles aux rayons du soleil ». Le tableau des bienfaits de Prométhée se révèle impressionnant : menuiserie, mais aussi astronomie, science du nombre – « la première de toutes », dit ce pythagoricien –, l'art d'atteler les animaux, celui de conduire les chevaux, celui de la navigation. Mais ce n'est pas tout : il n'hésite pas à s'attribuer également l'art de « mélanger les baumes qui écartent toute maladie », la classification rationnelle des arts divinatoires – parmi lesquels l'inspection du foie (« les divers aspects propices de la vésicule biliaire et du lobe du foie »). Bref, « tous les arts aux mortels viennent de Prométhée ». On voit ce qui a pu inspirer à Eschyle cette innovation : certainement le culte que rendaient à Prométhée les potiers et les artisans athéniens, mais sans doute surtout le désir de rapprocher encore le Titan des mortels à des fins d'identification. Auteur tragique, il veut que la rébellion du personnage puisse paraître légitime, mais aussi que les spectateurs prennent passionnément son parti contre l'injustice du nouveau Dieu ; qu'ils l'accompagnent ainsi jusqu'au moment de la réconciliation finale, laquelle comporte la leçon essentielle de la trilogie. L'énumération détaillée des bienfaits de Prométhée justifie alors par avance le pardon final de Zeus, et lui donne tout son éclat aux yeux des citoyens d'Athènes.

On n'a cependant peut-être pas assez accordé d'attention à une autre réponse de Prométhée. Lorsque le Coryphée l'interroge sur les motifs de son supplice, il évoque son opposition au désir de Zeus, une fois parvenu sur le trône, d'anéantir la race des mortels, « afin d'en créer une toute nouvelle ». « A ce projet, rappelle-t-il, nul ne s'opposait – que moi. Seul j'ai eu cette audace, j'ai libéré les hommes et fait qu'ils ne sont pas descendus écrasés dans l'Hadès. » Le Coryphée : « Tu as sans doute été plus loin encore. » On s'attend à ce que l'infortuné Titan raconte alors le fameux « vol du feu ». Il va le faire, mais ce ne sera qu'en second lieu. « Oui, répond-il d'abord sans hésiter, j'ai délivré les hommes de l'obsession de la mort. » – « Quel remède as-tu donc découvert à ce mal ? » « J'ai installé en eux les aveugles espoirs. » Le Coryphée approuve : « Quel puissant réconfort tu as ce jour-là apporté aux mortels ! » Faut-il entendre dans ces mots l'expression de l'« ironie sceptique » d'Eschyle ? On identifiera alors les « aveugles espoirs » aux promesses de la technique, et le *Prométhée* d'Eschyle cessera d'être « prométhéen »[1]... Mais n'anticipons pas !

*

*   *

1. Telle est l'interprétation de Françoise Bonardel dans sa thèse publiée sous le titre de *Philosophie de l'alchimie* (PUF, Paris 1993). Voir la deuxième partie de cet imposant ouvrage qui s'intitule « Expansion faustienne et déclin occidental », et spécialement le premier chapitre de cette partie : « Cycle du déclin et règne de Prométhée ».

Philosophie

Par Platon, Prométhée fait, en Grèce, une troisième fois son entrée. Cela se passe dans le fameux dialogue philosophique intitulé *Protagoras*. Mais c'est au prix d'une nouvelle transfiguration qui tient autant au genre de l'œuvre qu'au rôle assigné au personnage ainsi qu'aux objectifs philosophiques et politiques de Platon lui-même.

Ce n'est point Socrate qui évoque le Titan, mais Protagoras, le prince des sophistes, qui vient d'arriver en grande pompe à Athènes. La nouvelle s'est vite répandue. On a vu le grand homme descendre chez un personnage aussi important que Callias[1]. Mais n'oublions pas la mise en scène du Dialogue. L'un de ses amis interroge Socrate sur l'état de son amour pour le bel Alcibiade. Le menton de l'adolescent ne commence-t-il pas déplorablement à se couvrir de barbe ou à tout le moins d'un petit duvet ? Le philosophe s'avoue si troublé depuis deux jours qu'il en a presque oublié, dit-il, la présence du jeune homme à ses côtés. « Tu n'as pourtant pas rencontré un plus beau garçon que lui, du moins dans notre ville ? » – « Si, et beaucoup plus beau. » – « Que dis-tu ? Est-ce un Athénien ou un étranger ? » – « Un

1. Cet homme d'Etat athénien est connu pour avoir négocié la paix qui a mis fin vers 450 av. J.C. aux guerres médiques (« paix de Callias »).

étranger. » Socrate joue de la surprise. Ce bel étranger n'est autre en effet que le vénérable Protagoras d'Abdère ! Platon s'amuse. Socrate parodie ses propres thèses : la beauté ne se mesure-t-elle pas à la sagesse, toute question de barbe ou de nez camus mise à part... ? D'où le récit de la rencontre et de ces deux journées écoulées, qui constitue l'essentiel du dialogue. C'est Hippocrate de Cos, raconte Socrate, qui de bon matin, tout enthousiaste, l'avait averti. De ce moment le philosophe a fourbi ses armes. Son intention : décourager le jeune homme d'aller suivre les leçons que Protagoras se propose de prodiguer contre rémunération aux fils des bonnes familles de la Cité[1].

L'angle d'attaque, il le dévoile en interrogeant Hippocrate avant même la rencontre avec le maître : « Tu brûles de fréquenter un homme aussi connu que Protagoras ! » Mais « le sophiste, en quel savoir est-il un maître ? En quel art ? » Puis s'adressant au sophiste lui-même : « Hippocrate, en s'attachant à Protagoras, dès qu'il aura passé une journée en sa compagnie, s'en retournera meilleur chez lui, et chaque jour qui s'écoulera il s'améliorera d'autant, mais en quoi, Protagoras, et sur quoi ? » S'il allait voir un peintre comme Zeuxippos, il est clair qu'il se perfectionnerait dans l'art de la peinture, s'il suivait les leçons

1. Platon, *Protagoras* (309 b-310 d).

d'un joueur de flûte comme Orthagoras, c'est dans l'art de la flûte qu'il ferait des progrès. Mais un sophiste ? Un sophiste tel que Protagoras ? Qu'attendre de ses leçons ?

Socrate ayant présenté Hippocrate comme « aspirant à tenir un rang illustre dans l'Etat », Protagoras fait cette réponse appropriée : « Avec moi, il n'apprendra que la science pour laquelle il est venu ; cette science est l'art de bien délibérer *(euboulia)* qui, dans les affaires domestiques, lui enseignera la meilleure façon de gouverner sa maison et, dans les affaires de la cité, le mettra à même d'agir et de parler au mieux pour elle. »

Au philosophe qui résume : « Tu veux sans doute parler de l'art politique, et tu te fais fort de former des bons citoyens. » Protagoras répond : « C'est cela même, et tel est bien l'engagement que je prends. » Sarcastique, Socrate lance alors le défi : « Belle science que la tienne ! » [...] « Je ne croyais pas, Protagoras, qu'on pût enseigner cette science ; mais puisque tu le dis, il faut bien que je te croie ! » Il cherche ses arguments dans l'opinion des citoyens athéniens telle que la reflète la pratique institutionnelle que, visiblement, il réprouve : « Dans nos assemblées publiques, lorsqu'il s'agit de délibérer sur une construction, on fait venir des architectes pour prendre leur avis sur les bâtiments à réaliser ; s'il s'agit de construire des vaisseaux, on fait venir des constructeurs de navire... Si au contraire il faut délibérer sur le gouvernement de la Cité, chacun se lève pour donner son avis, qu'il soit charpentier, forgeron, cordonnier, marchand, armateur, riche ou pauvre... et personne ne lui reproche, comme aux précédents, de venir donner des conseils, alors qu'il n'a étudié nulle part et n'a été à l'école d'aucun maître. N'est-ce pas la preuve évidente qu'on ne croit pas que la politique puisse être enseignée ? »

Le sophiste interroge l'auditoire sur la forme qu'il doit donner à sa réponse. En définitive, rejetant l'idée socratique d'une discussion pied à pied sur les termes de la question, il se décide, pour le plaisir de son public, à avoir recours à un mythe, « comme un vieillard parlant à des jeunes gens ».

Protagoras prend le ton qui convient pour évoquer les origines : « C'était le temps où les dieux existaient déjà, mais point encore les races mortelles... » Quand vint le moment de leur naissance, au jour qui avait été fixé par le destin, les dieux se mirent à les façonner dans les profondeurs de la terre « à partir d'un mélange de terre et de feu, ainsi que de tout ce qui peut se combiner au feu et à la terre ».

Mais ces œuvres divines, voici qu'il faut maintenant les amener à la lumière. Les dieux chargent alors les deux frères, Prométhée et Epiméthée, de répartir les capacités *(dynameis)* donc doter ces races. C'est Epiméthée qui, avec l'accord de son frère, se charge d'effectuer la distribution. Il est convenu que Prométhée procédera ensuite à l'examen du travail accompli.

Epiméthée s'acquitte de sa tâche avec une idée en tête : empêcher qu'aucune espèce ne soit en mesure d'en éliminer une autre. Suivant un strict principe de compensation, aux unes il accorde donc la force sans la vitesse, aux autres la vitesse sans la force... Il s'applique ensuite à les prémunir les unes et les autres contre les intempéries liées à la succession des saisons. Il les couvre de poil en abondance et d'une peau épaisse : abri contre le froid mais aussi protection contre la chaleur, couverture naturelle pour la nuit. A chaque espèce, il assigne sa nourriture propre : aux unes les herbes de la terre, à d'autres les fruits des arbres, à d'autres encore les racines, à quelques-unes la chair des autres. Et pour que ces dernières ne soient pas condamnées à s'éteindre, il leur accorde une nombreuse postérité, tout en veillant à limiter la fécondité des premières.

Le texte insiste : Epiméthée a remarquablement fait son travail[1]. Mais voici qu'il s'aperçoit, trop tard, qu'il a réparti parmi les animaux toutes les capacités *(dynameis)* dont il disposait. Or, il reste à pourvoir l'espèce humaine qu'il a laissée complètement démunie. Il ne sait que faire. La sagesse d'Epi-

---

1. Platon, *Protagoras* (321 b-c).

méthée avait ses limites. Son nom le dit en grec : il pense « après coup », sinon « trop tard » ou « à côté ».

Arrive alors Prométhée qui, comme convenu, vient examiner le résultat du partage. Les autres animaux sont bien équipés, mais l'homme est resté nu, sans rien pour protéger ses pieds, sans rien pour couvrir son corps, privé d'armes pour se défendre. Et il y a urgence puisque le jour est venu d'extraire des entrailles de la terre la race humaine aussi bien que les autres races mortelles. Prométhée veut la sauver de la destruction qui l'attend à coup sûr. Par ruse et effraction, il pénètre donc dans la forge de l'Olympe. Il dérobe à Héphaïstos et Athéna le savoir des techniques ainsi que le feu – « car sans le feu, ajoute le texte de Platon, ce savoir ne pouvait être ni acquis ni utile à qui que ce fût ».

Protagoras, sous la plume de Platon, transfigure Prométhée. Certes, il reste le bienfaiteur de l'humanité, le rusé voleur du feu. Mais les humeurs de Zeus, si décisives aux yeux d'Eschyle comme à ceux d'Hésiode, n'ont plus aucune place dans le récit. En revanche, comme dans la pièce d'Eschyle, le Titan est celui qui a apporté aux mortels les techniques nécessaires à la vie, même si les formules employées semblent exclure ici qu'il leur ait fait don de l'astronomie et de la science du nombre. Protagoras ne fait aucune allusion ni à la rébellion du Titan ni à sa punition, ni à la longue épreuve de force qui a continué de l'opposer à Zeus au cours de ce châtiment même. Ce qui est mis en avant est un élément nouveau : l'intervention malencontreuse du frère, Epiméthée. Le personnage principal, c'est le couple Prométhée-Epiméthée. Ce que confirme la suite du récit de Protagoras. Prométhée, lui aussi, se trouve en effet pris de court. Il n'a pas le temps de pénétrer dans l'Acropole, la demeure de Zeus que gardent des sentinelles redoutables. Résultat : par son vol, il a certes pu apporter à l'humanité les techniques et le feu. Ce qui vaut évidemment mieux que le rien auquel l'incurie d'Epiméthée l'avait condamnée. Mais « les hommes ne disposaient pas encore de la technique politique, dont fait partie celle de la guerre ». Vivant dispersés, ils étaient détruits par les animaux sauvages d'une force physique supérieure à la leur ; lorsqu'ils cherchaient à se rassembler et à fonder des cités pour se défendre, ils se portaient tellement tort les uns aux autres qu'ils en venaient à se disperser à nouveau pour leur plus grand malheur... L'espèce humaine aurait sans doute disparu, suggère Protagoras, si Zeus ne s'était inquiété d'une telle situation et n'avait envoyé aux hommes son fidèle Hermès porteur du sens du respect mutuel *(aidôs)* et de la justice *(dikè)*. Se posa alors la question de savoir comment répartir ces capacités-là parmi les hommes. Convenait-il de procéder par spécialisations, comme on l'avait fait pour les autres techniques (la médecine aux uns, l'art de la menuiserie à d'autres...) ? Zeus répond que de celles-ci chacun doit au contraire avoir sa part. Il demande même qu'une loi prévoit la mort pour qui s'en montrerait dépourvu[1].

Protagoras peut maintenant faire retour au début de son récit et « boucler » son argumentation. Sur la technique de l'architecte, ou sur l'art de la flûte, seuls les spécialistes ont droit à la parole. Mais lorsqu'il s'agit de la justice et de la vertu politique, le premier venu peut légitimement donner son avis puisque tout être humain a reçu en partage le sens de la justice *(dikaiosynè)*.

La question débattue entre Socrate et Protagoras n'est point celle d'Hésiode. Il ne s'agit pas de l'origine du malheur parmi les hommes. Platon ne pose pas davantage celle de l'accord entre l'ordre institué par la Cité athénienne et l'ordre divin, telle qu'Eschyle l'avait mise en scène. Il s'agit de la démo-

---

1. Platon, *Protagoras* (322 c-d). Si un médecin suffit pour soigner beaucoup de non-médecins, on ne saurait tenir le même raisonnement pour *aïdos* et *dikè*. La traduction de *aïdos* n'est pas aisée : plutôt que de la « pudeur », il s'agit de la famille des positions qui vont de la retenue au respect en passant par la honte. La langue grecque sanctionne un type de rapports à soi-même qui n'est pas celui qu'a institué le monde moderne et que véhicule notre vocabulaire psychologique et moral imprégné de christianisme et de médecine « scientifique ».

cratie, de l'idéal politique de la citoyenneté et de ses implications éducatives. Question évidemment cruciale pour l'avenir de cette nouvelle forme politique. Protagoras soutient que la vertu politique peut être enseignée. Socrate objecte : pour pouvoir être enseignée à tous, il faut qu'elle soit une science. En tant que telle elle ne saurait être acquise et transmise que par des spécialistes. La démocratie athénienne où chacun se voit invité à donner son avis sur les affaires politiques n'est pas le meilleur des régimes ; le sophiste qui propose ses leçons contre rémunération à qui le souhaite n'est qu'un imposteur.

Prométhée n'intervient ainsi qu'à titre de figure du discours sophistique. Ce qu'on appelle le « mythe de Protagoras » ne peut nullement être tenu pour un mythe platonicien. Il sert au premier chef à dénoncer les méfaits de la séduction exercée par le recours au mythe. Et Socrate lui-même admet pour finir, non sans arrière-pensées, qu'il s'est laissé fasciner : « Après avoir déployé cette longue et belle pièce d'éloquence, Protagoras se tut ; et moi, toujours sous le charme, je continuais à le regarder, comme s'il allait poursuivre, car je désirais l'entendre encore... »

Pour Platon, ce type de recours au récit mythique constitue l'un des instruments de tromperie qu'utilisent les sophistes. Le type même d'usage de la parole avec lequel doivent rompre les philosophes, qui mettront le mythe à profit sur un autre mode[1].

Prométhée controversé

Prométhée n'échappe pas à la verve destructrice d'Aristophane (v. 445-v. 386 av. J.C.) qui, dans *Les Oiseaux*, se plaît à le présenter comme un poltron qui n'arrive pas à chasser de sa mémoire les tortures subies et se croit constamment épié par Zeus.

L'Antiquité latine classique recueille cependant la figure héroïque du célèbre Titan. Et certains vont plus loin encore qu'Eschyle dans le sens de son humanisation. On le voit dans la troisième *Ode* d'Horace (65 av. J.C.-8 ap. J.C.). « Dans son audace à tout endurer, l'espèce humaine s'élança sur la voie interdite du sacrilège ; dans son audace, le fils de Japet, par mauvaise ruse, apporta le feu aux peuples ; une fois le feu ravi à la demeure éthérée, la sécheresse et une cohorte de nouvelles fièvres s'abattirent sur la terre, et la mort hâta son inexorable pas auparavant ralenti[2]. »

D'autres, comme Ovide (43 av. J.C.- 17 ap.

1. Voir Victor Goldschmidt, *Les Dialogues de Platon* (PUF, Paris 1947).
2. Horace, *Odes*. Livre I. 3. vers 25 à 40 *in* traduction française de F. Villeneuve (Ed. Les Belles Lettres, Paris 1959).

J.C.), adoptent une version du récit selon laquelle Prométhée apparaît comme celui qui a « façonné l'homme » avec de l'argile et du feu ou encore de l'eau : *Prometheus plasticator*. Témoins les premiers vers des *Métamorphoses* consacrés aux commencements du monde : « L'homme naquit, soit que le dieu créateur, auteur d'un monde meilleur, l'eût formé de la semence divine, soit que la Terre dans sa nouveauté, récemment dégagée des couches profondes de l'éther, eût conservé quelque germe de son frère le Ciel, et que cette Terre, le fils de Japet, en la mélangeant aux eaux de pluie, l'ait façonnée à l'image des deux, modérateurs de toutes choses. » Plus loin, le fils de Prométhée, Deucalion, s'adresse en ces termes à Pyrrha son épouse : « Car, pour moi, crois-m'en, si le flot t'avait aussi engloutie, je te suivrais, ô mon épouse, et, à mon tour, le flot m'engloutirait. Oh ! s'il m'était possible de repeupler le monde grâce aux moyens qu'employa mon père, et d'insuffler une âme à la terre façonnée de mes mains ! Aujourd'hui, c'est en nous deux seuls que survit la race des mortels – ainsi en ont décidé les dieux – et nous restons les seuls exemplaires de l'humanité[1]. »

Depuis longtemps déjà, une école philoso-

1. Ovide, *Les Métamorphoses*. Livre I. vers 80-91 puis 315-365. Traduction de J. Chammard (Ed. Flammarion, Paris 1966).

phique avait cependant fait de Prométhée sa cible favorite : celle des disciples d'Antisthène (444-365 av. J.C.) et du célèbre Diogène (413-v.323 av. J.C.). Les cyniques refusent en effet de considérer comme un bienfait d'avoir apporté les techniques aux hommes. Cadeau empoisonné, bien plutôt, qui les a privés du bonheur de leur condition première : celui de l'autarcie, de la liberté et de l'apathie. Diogène lui-même dénonce dans le personnage du fils de Japet l'image même d'une intelligence humaine pervertie. Elle échappe à son propre contrôle et peut devenir la source des plus grands maux. Face à un héros dont l'arrogance est imputable à un vice de pensée, il propose l'idéal paisible de l'animal du troupeau qui sait aller boire à point nommé l'eau de la source fraîche... Le personnage qui recueille l'adhésion de ces philosophes n'est point Prométhée, mais Héraclès : le plus célèbre héros de la Grèce, fils de Zeus et d'Alcmène, qui indique la voie de l'ascèse pour rejoindre la nature.

Or, cette philosophie morale, vécue, accessible à chacun, violemment hostile aux qualités intellectuelles, a conquis une immense audience à Rome sous l'Empire. On a pu dire qu'elle y a représenté « la philosophie populaire par excellence[1]. » Elle faisait entendre la voix des pauvres. Elle portait, à coups de

1. Voir l'Avant-propos de Marie-Odile Goulet-Cazé à

gueule, la contestation de la culture instituée et des pouvoirs établis.

Les chrétiens prirent le relais, non sans frictions comme on le voit chez Saint-Augustin (354-430) qui dénonce l'impudeur notoire de Diogène et de ses disciples. En tant que créateur de l'humanité, Prométhée leur paraît un dangereux rival du Dieu chrétien. Sous la plume de Tertullien (v. 155-222), Lactance (v. 260-325) et Fulgence (467-533), il devient ainsi un symbole de l'unique puissance créatrice, la figure païenne de la puissance divine : « Deus unicus qui universa condit, qui hominem de humo struxit, hic est verus Prometheus[1]. Dans tous les cas, c'est la figure du rebelle qui est rejetée. Si elle est évoquée par Dante (1265-1321), par exemple, c'est à la faveur d'un transfert sur Ulysse qui a pour effet de détacher l'idée de trangression de celle de création de l'homme[2]. Les poètes, les penseurs et les artistes de la Renaissance dressent la statue d'un Prométhée artiste-

l'édition des *Cyniques grecs* de Léonce Paquet (rééd. Le Livre de Poche, Paris 1992) p. 22 et *sq*.

1. « Le Dieu unique qui a fondé toutes choses, qui a bâti l'homme à partir de la terre, celui-ci est le vrai Prométhée. » Sur ces points, voir Ernst Cassirer, *Individu et cosmos dans la philosophie de la Renaissance* p. 123 et suivantes (trad. franç. Ed. Minuit, Paris 1983) ainsi que Paolo Rossi, *Les Philosophes et les machines – 1400-1700* (trad. franç. PUF, Paris 1996).

2. Ce qu'a lumineusement établi Jacques Madaule dans son livre sur *Dante* (rééd. Complexe, Paris 1982)

créateur[1], qui ne doit pas à sa nature la position éminente dans le monde mais au contraire à ce qu'il n'a point de nature au sens où les autres êtres en ont une... Paolo Rossi a bien montré comment le jeune Francis Bacon (1561-1626) a ajusté les thèses essentielles de ses grands ouvrages ultérieurs par un travail sur ce symbole de Prométhée, procédant à une véritable réélaboration du mythe. Le passage le plus significatif consiste en une réflexion sur les fêtes célébrées à Athènes en l'honneur du Titan. Des torches sont allumées. « Cela... fait référence aux sciences et aux arts, comme ce feu au souvenir et à la célébration duquel ces fêtes furent instituées, et contient en soi un avertissement plein de sagesse : la perfection des sciences doit reposer sur la succession des efforts et non sur la rapidité et l'habilité d'une seule personne. C'est pourquoi ceux qui sont les plus rapides et les meilleurs à la course et dans toutes les compétitions sont peut-être les

commentant le texte de *L'Enfer. XXVI, 90-142.* C'est bien en effet l'aventure prométhéenne de la connaissance qui est évoquée lorsqu'Ulysse, quittant Circé, décide de « passer outre » la tendresse pour son fils, la piété pour son père et l'amour pour Pénélope qui, dit-il, « ne purent vaincre au-dedans de moi l'ardeur Que j'eus d'accroître ma connaissance du monde Et des vices, et de la valeur de l'homme... ».

1. Pour les coulisses théologico-politiques de cette opération, voir « La souveraineté de l'artiste » *in* Ernst Kantorowicz, *Mourir pour la patrie* (PUF, Paris 1984).

moins habiles à garder leur torche allumée... ». Bacon forme pour finir le vœu que l'on renoue avec ces fêtes en l'honneur de Prométhée afin que « la science n'ait plus à dépendre de la torche tremblante et agitée d'une seule personne, quelle qu'elle soit ».

A la fin du dix-septième siècle le grand dramaturge espagnol, Pedro Calderón de la Barca (1600-1681), l'auteur du *Mage prodigieux*, écrit une pièce intitulée *La Statue de Prométhée*. L'auteur dénonce le caractère fallacieux de la science si on la conçoit comme une fin de l'activité humaine, il accuse l'insuffisance de la théologie païenne pour gouverner les hommes. La statue, il la déboulonne. Il invite ses contemporains à conjuguer les armes avec les lettres, l'action avec la pensée dans une commune soumission à l'autorité divine et à la Providence, seule loi de l'histoire.

Le Prométhée des Lumières

Le triomphe de Prométhée ne s'accomplit à vrai dire qu'avec celui de la philosophie des Lumières sous ses diverses versions en Europe. Il apparaît comme la figure emblématique de la révolte des philosophes et des artistes contre les autorités théologiques et politiques. Les versions modernes de Prométhée ne prennent guère appui sur Hésiode ;

c'est vers Eschyle que se tournent les penseurs. Non point d'ailleurs vers le seul *Prométhée enchaîné*, car de la punition ils ne veulent guère entendre parler. C'est donc de la trilogie qu'ils s'inspirent, avec toute la liberté qu'ouvrent à leur imagination aussi bien les titres recueillis des deux dernières pièces *(Prométhée délivré, Prométhée porte-feu)* que... l'absence des textes correspondants. Une manière de vulgate s'impose. Prométhée apparaît comme l'aventurier créateur d'une humanité nouvelle, le porte-feu de la civilisation, l'insurgé vaincu et torturé par le dieu qui le tient captif, refusant tout remords et toute résignation, celui qui tient Zeus en échec, et lui arrache enfin la reconnaissance d'une liberté toute neuve.

Chacun met l'accent sur l'un de ces traits plutôt que sur l'autre et apporte ses variations sur cette trame générale. L'homme d'Etat et philosophe anglais Anthony Ashley Cooper de Shaftesbury (1621-1683) voit ainsi en Prométhée un sculpteur et un poète qui ne veut point se contenter d'imiter, mais a l'audace de créer[1]. Il a, un instant, perdu sa figure de révolté pour entrer par sa création en connivence avec la divinité. Mais cette figure, il la retrouve peu après avec Voltaire (1694-

1. Sur le destin moderne de Prométhée voir en particulier l'ouvrage de E. Trousson, *Le Thème de Prométhée dans la littérature européenne* (Droz, Genève 1976 – 2 vol.).

1778) : libérateur de l'humanité contre la tyrannie de Zeus, Prométhée, appelle la Terre à se défendre contre le Ciel (*Pandore*, 1710).

Si étrange que cela puisse paraître aujourd'hui, le personnage de Bonaparte (1769-1821) a suscité en Europe un regain décisif de la ferveur prométhéenne, avant qu'elle n'embrase toute la culture. Ainsi en 1797, le poète italien Vincenzo Monti (1754-1828) compose un poème épique intitulé *Il Prometeo*. Il salue dans le jeune général venu de France le révolutionnaire libérateur de son peuple. Quelques années plus tard Ludwig van Beethoven (1770-1827) compose une musique de ballet pour les *Créatures de Prométhée* du danseur et chorégraphe napolitain Salvatore Vigano (1769-1821) où le Titan est célébré comme le héros civilisateur, le maître des techniques et des arts. Et c'est le thème final de ce ballet qu'il reprend pour en faire le thème du finale de la *Symphonie héroïque*, initialement intitulée *Symphonie Bonaparte*. L'identification de Napoléon à Prométhée restera très vivante. Dans *Le Retour de l'Empereur* puis dans *L'Expiation*, Victor Hugo (1802-1885) n'hésite pas à présenter Sainte-Hélène sous l'aspect du fameux rocher !

En sa jeunesse, au temps du *Sturm und Drang*, Johann Wolfgang von Goethe écrit quelques poèmes titaniques. A côté de

Mahomet, Prométhée y trouve sa place[1], rival de Zeus, qui ne craint pas de le narguer : « Abaisse ton regard, Zeus, sur mon monde. Il vit ! J'ai formé à mon image une race semblable à moi, pour souffrir, pleurer, jouir, goûter le plaisir et te mépriser, comme moi ! » Bref, si Prométhée apparaît ainsi comme le créateur des hommes, ceux-ci ne sauraient être maintenus dans l'état de servitude que Zeus veut leur imposer. Ces derniers vers éclatants donnent l'esprit de l'ensemble. Après avoir clamé : « Je ne sais rien sous le soleil de plus misérable que vous autres, les dieux ! Vous nourrissez maigrement votre Majesté de l'offrande des sacrifices et de la fumée des prières, et vous dépéririez sans les enfants et les mendiants fous emplis d'espérance », à Zeus il vient de lancer : « Moi t'honorer ? A quel titre ? As-tu jamais adouci les souffrances de l'homme accablé ? As-tu séché les larmes de celui qui pleure d'angoisse ? Qui a forgé cet homme que je suis sinon le temps tout-puissant et le destin éternel, mes maîtres et les tiens ? » Franz Schubert (1797-1828) mettra cette apostrophe en musique en 1819 avec un souffle dramatique digne de l'esprit de révolte qui la traverse.

En la même année, le poète anglais Percy

1. Traduction française reproduite in Goethe, *L'Ame du monde*, textes choisis et présentés par Marcel Brion (Editions du Rocher, Paris 1993).

Bisshe Shelley écrivait son chef-d'œuvre, *Prometheus unbound*. Nul doute que l'esprit de ce « drame lyrique » ne soit fort éloigné de la pièce qu'avait composée Eschyle sous le même titre. « Shelley-le-rouge », le jeune et ardent auteur de *The Necessity of Atheism,* ne se soucie pas de justice divine, il montre Zeus jeté à bas de son trône. Ce dieu n'a jamais été qu'un fantôme tyrannique, en définitive une création de l'esprit et de la volonté de Prométhée qui s'est ligoté lui-même en lui aliénant son propre pouvoir. Au mauvais usage de ce pouvoir par Zeus, il faut imputer le mal en l'homme et dans le monde. Le salut ne saurait provenir que d'une nécessaire rébellion contre lui. « Souffrir des maux que l'Esprit même juge infinis ; pardonner des crimes plus noirs que la nuit ou que la mort ; défier un pouvoir qui semble omnipotent ; aimer et supporter ; espérer jusqu'à ce que l'espérance crée de son propre désastre l'objet qu'elle se propose ; ne changer, n'hésiter, ni se repentir ; cela, comme ta gloire, Titan, est être bon, grand, heureux, beau et libre ; cela est la Vie, la Joie, l'Empire et la Victoire. » La Nature, personnifiée par Asia, s'unit au génie créateur et explorateur de Prométhée pour inaugurer le règne de l'amour, du bonheur et de la liberté. Comment oublier la fin du quatrième acte qui associe le firmament tout entier – lune, étoiles, terre – à l'allégresse qui accompagne le triomphe de Prométhée sur le mal, malgré les tortures... ? Un hymne somptueux s'élève à l'homme nouveau. « ... Il ne cherche ni ne trouve de bonheurs mortels, mais se repaît des baisers aériens des formes qui hantent les solitudes de la pensée. Il regardera, de l'aube à la nuit, le soleil réfléchi par le lac illuminer les abeilles dorées dans les fleurs du lierre, sans rechercher, sans voir ce qu'elles sont ; mais d'elles il peut créer des êtres plus réels que l'homme vivant, nourrissons de l'immortalité. »

Trop étranger au monde chrétien, Prométhée s'était vu longtemps comme exclu des références grecques que ce monde avait recueillies et intégrées à la tradition de la philosophie occidentale. Son triomphe au siècle des Lumières équivaut à un défi lancé aux valeurs du christianisme, au prix d'une simplification et d'un durcissement extrêmes des traits du héros eschylien auquel chacun s'applique cependant à faire référence. Le Prométhée des Lumières rappellerait bien plutôt celui qui était sarcastiquement mis en scène par Lucien de Samosate (v. 125-v. 192 ap. J.C.) dans son *Prométhée sur le Caucase :* non pas seulement le bienfaiteur, mais le réel créateur de l'humanité.

Marx-Prométhée

En témoigne la référence exaltée qu'y fait le jeune Marx, écrivant en 1841 à Berlin l'Avant-Propos de la version publiée de sa *Dissertation de Doctorat* consacrée, sous un titre de tonalité hégélienne, à la *Différence de la philosophie de la nature chez Démocrite et Epicure.*

Prenant la défense d'Epicure (341-270 av. J.C.), Marx critique « la fausseté générale de point de vue » de Plutarque (v. 50-v. 125), qui commit la faute d'avoir « traîné, pour l'y juger, la philosophie au forum de la religion ». Erreur, faute même, car la philosophie est souveraine. Sur la question des dieux, il cite donc Epicure, d'après Diogène Laërce : « Impie n'est pas celui qui fait table rase des dieux de la foule, mais celui qui pare les dieux des représentations de la foule. » Ce « cri d'Epicure » ne lui paraît pourtant sans doute pas assez radical. Il le complète et l'aggrave par celui de Prométhée : « La philosophie ne s'en cache pas. Elle fait sienne la profession de foi du Prométhée d'Eschyle : « En un mot, j'ai de la haine pour tous les dieux... ». Et Marx d'ajouter : « Cette profession de foi est sa propre devise qu'elle oppose à tous les dieux du ciel et de la terre qui ne reconnaissent pas comme la divinité suprême la conscience de soi humaine. Cette conscience de soi ne souffre pas de rival. »

Il ne craint pas d'avoir alors, pour conclure,

recours une deuxième fois à l'autorité d'Eschyle :

« Mais aux tristes sires, écrit-il, qui jubilent de l'apparente dégradation de la situation sociale de la philosophie, elle fait à son tour la réponse que Prométhée fit à Hermès, serviteur des dieux : "Sache que je n'échangerais pas ma misère contre ton esclavage. J'aime mieux être lié à ce roc que d'être le messager fidèle de Zeus, ton père". » De là cette formule bien frappée du jeune Marx : « Dans le calendrier philosophique, Prométhée occupe le premier rang parmi les saints et les martyrs. »

Il y a fort peu de chance que le fondateur du positivisme, Auguste Comte (1798-1857) ait lu ces lignes écrites par un homme qui plus tard le jugera très sévèrement (« un nain à côté de Hegel ! »), mais lorsqu'il rédige le calendrier positiviste, c'est exactement la place que le Grand Prêtre de la Religion de l'Humanité accorde à Prométhée : il orne de son nom le premier jour du premier mois de l'année (le mois de Moïse) !

Le pacte avec le diable

Mais voici Faust. L'original est historique, il fit scandale et légende de son vivant même, à l'aube des temps modernes. Le premier livre dont nous disposions à son sujet a été publié à Francfort-sur-la-Main en 1587 sans nom d'auteur. Il porte, selon les usages du temps, un titre fort long : *Histoire du docteur Johann Faust, fameux magicien et nécromant; comment il s'est donné au diable pour un temps déterminé; quelles aventures étranges il a vues, et déclenchées et vécues lui-même, pendant ce temps, jusqu'à ce que, finalement, il reçût son salaire bien mérité.* A la tonalité morale de ces lignes répond celle de la page de titre : « Ce récit a été recueilli et imprimé pour servir à tous les hommes orgueilleux, téméraires et impies, d'exemple terrifiant, de modèle affreux et de franche mise en garde. » Même avertissement dans l'« Avant-propos au lecteur chrétien » : qu'il ne se laisse pas aller à imiter un pareil personnage ! L'auteur du livre n'ignore pas que Faust est déjà depuis longtemps devenu une figure mythique, qui séduit les Anglais autant que les Allemands. L'histoire qu'il raconte ne se soucie guère ainsi de vérité biographique ; elle puise plutôt dans un fonds commun d'anecdotes empruntées à divers traités de magie et de sorcellerie alors populaires en Allemagne[1].

De l'histoire à la légende

Il existe cependant un document qui atteste l'existence historique du personnage : une lettre datée de 1507, où l'on trouve mention des tribulations d'un certain Faust. On y lit :

« D(oktor) Johann Faust, antérieurement Magister Georg Sabellicus, Faust le Jeune, se désignant lui-même comme sourcier des Nécromantes, Astronome et Astrologue, Magicien au second degré, chiromante, Aéromante, Pyromante, Hydromante au second degré, connu aussi sous le nom de Georg Faustus, philosophe des philosophes, Hemitheos (demi-dieu) de Heidelberg. »

Pesante carte de visite, où s'accumulent les titres et les savoirs hétéroclites. Bouffonnerie ? Non, répondent les historiens, qui font remarquer que ce genre d'énumération était alors

1. Voir le dossier publié par les *Cahiers de l'Hermétisme* sur « Faust » (Albin Michel, Paris 1977).

courante monnaie. Certains achoppent cependant sur la qualité de « demi-dieu », laquelle ne sonne décidément pas très chrétien.

L'intérêt de cette présentation tient à vrai dire moins à son contenu qu'à l'auteur de la lettre : Johannes Trithemius von Sponheim (1462-1516), théologien reconnu, adepte de la magie blanche, célèbre pour son enseignement[1]. Il y a tout lieu de penser que Johann Faustus a été l'un de ses disciples. En 1507, toutefois, il suit à Heidelberg les cours d'un grand nom de la Réforme, Philipp Schwarzild dit Melanchthon[2] (1497-1560) ; pauvre, il occupe les fonctions d'instituteur dans une

1. Ce bénédictin, dont le nom réel était Johannes Heidenberg, se trouvait au couvent de Saint-Jacob près de Wurzbourg en 1506 suite à la révolte des moines qu'il avait voulu éduquer à Sponheim dont il avait été nommé abbé en 1483. Ecrivant sous le nom de Trithemius (patronyme formé à partir du lieu de sa naissance, Treitenheim près de Trêves), il était réputé versé dans les mystères de l'Alchimie, de l'Astrologie et surtout de la Kabbale. Il fascina de nombreux visiteurs et élèves. Parmi eux, Paracelse et Cornelius Agrippa. L'apparente ironie de la description donnée dans la lettre a conduit certains spécialistes à voir dans le docteur Faust un élève de Trithemius qui aurait par sa notoriété menacé la gloire du maître... Il n'y en a aucune preuve. Sur les rapports entre Trithemius et Paracelse, voir René Allendy, *Paracelse le médecin maudit* (Dervy Livres, Paris 1987).

2. Collaborateur de Martin Luther, il devient après la mort du réformateur le principal chef du luthéranisme.

école de Souabe, à Kreuznach. Devenu Doktor en philosophie, on trouve (indirectement) la trace de son activité d'enseignement à Erfurt (1513). Ses ennuis commencent alors comme en témoignent ses tribulations : chassé d'Erfurt, expulsé de Wittenberg, rejeté d'Ingolstadt, puis de Leipzig, on le retrouve à Prague en 1530...

Personnage des limites, le Faust historique semble avoir voulu être un savant reconnu de l'Université et intégré au mouvement des humanistes en même temps qu'un magicien qui puise ses sources de connaissance dans des savoirs et des pratiques que refusait précisément l'institution. De là sans doute son errance pendant des décennies à travers l'Europe déchirée par les guerres de religion.

Hérétique aux yeux des réformés comme des catholiques, la rumeur veut très vite qu'il ait passé un « pacte avec le Diable ».

Après sa mort, les prodiges dont, semble-t-il, il se vantait volontiers lui sont purement et simplement attribués. Du cadavre de l'astronome et astrologue se détache le personnage dont va s'emparer le théâtre : celui de cet expert en magie noire et nécromancie dont le livre de 1587 déjà recueille les exploits. Il prend corps à partir d'un schème dramatique. Cet homme a conclu avec le Diable un pacte qu'il a dûment signé de son propre sang. Les termes de ce contrat stipulent que, durant vingt-quatre ans, Satan se mettra au service du Docteur pour satisfaire tous ses désirs. En échange de quoi, à la date fixée, Faust mourra et, damné, deviendra pour l'éternité l'esclave de celui qui l'aura ainsi servi pendant sa vie terrestre. On a toute raison de penser que ce schème se rattache à un événement réel : la mort sans doute en effet tragique de l'astrologue dans des circonstances horribles et, en tout cas, mystérieuses[1]. Que cette horreur et ce mystère aient été mis en rapport avec ses fameux prodiges, il n'en fallait pas plus pour qu'on lui « invente » un chien noir en guise d'éternel compagnon. La logique de la terreur voulait évidemment que ce chien *fût* le Diable.

Sur ce schème, déjà attesté dans les années 1540-1550, étaient venus se greffer au fil des années de nombreux récits de diableries et de farces paysannes du temps. Le fameux « récit populaire » de 1587 se présente comme le texte qui fixe, autour du scénario du pacte, les traits essentiels du personnage de la légende. Quant au sens de cette légende, il s'avère susceptible de plusieurs interprétations. La plus évidente réside dans les mises en garde explicites. On a remarqué que l'auteur était un bon connaisseur de la théologie luthérienne. Le pacte avec le Diable et, pour finir, la description minutieuse et théâtrale du cadavre de Faust atrocement déchiqueté prend sans doute tout son

---

1. Selon certains historiens, le Docteur aurait été victime de l'Inquisition. Rien n'est sûr.

sens dans ce cadre. L'histoire qui fait l'objet du récit se déroule avant la Réforme. L'Eglise de Rome a commis aux yeux de Luther et des siens la faute de laisser se développer en son sein toutes sortes de pratiques magiques (dites « blanches » ou « naturelles ») qui l'ont entraînée, affirment-ils, sur une voie démoniaque ; et ce d'autant plus aisément qu'elle a eu la faiblesse de laisser se dévaluer, si l'on peut dire, la figure du Diable aux yeux des fidèles. Ils en sont venus à faire au Diable, domestiqué, anthropologisé, réputation de balourdise inoffensive et sympathique. « Pauvre diable », objet de compassion ! Avec Martin Luther (1483-1546) lui-même, s'opère à coups d'encrier un redressement théologique à des fins de moralité[1]. Au Diable redevenu terrifiant, on consacre dans la seconde moitié du seizième siècle une très abondante littérature[2].

1. Dans son livre classique *Martin Luther, un destin* (PUF, Paris rééd. 1988), Lucien Febvre soulignait fortement la présence du Diable, « ce compagnon de toutes les heures », dans la vie de Luther à la Wartbourg (p. 126-129).

2. Voir l'*Histoire de Satan* de l'abbé Lecanu (Tiquetonne éditions, Paris 1990). Non sans arrière-pensées d'une évidente malignité, le théologien écrit : « Et d'abord, Luther le premier mit Satan en relief : tout ce qui s'opposait à sa manière si changeante de voir était diabolique ; tous ses adversaires étaient des suppôts du diable ; il dit que le diable avait étouffé Œcolampade, ce qui scandalisa fort les Suisses ; en 1533, il publia sa conférence avec le diable au sujet de la messe. Satan sortit donc des enfers évoqué par le protestantisme, et

Mais il semble que l'*Histoire* de 1587 ne vise pas seulement les magiciens et les sorciers ; elle s'adresse aussi plus largement à tous ceux qui prennent le risque de se mettre en contradiction avec les dogmes de la religion chrétienne pour s'engager sur la voie d'une science qui s'inscrit en marge des normes universitaires instituées.

Ainsi chargé d'explosifs, le livre connut un succès immédiat et immense. On n'en publia pas moins de vingt-deux éditions allemandes entre 1587 et 1598 ! On en fit très vite des traductions, notamment en anglais. Quelles que soient l'incertitude sur les dates de publication des différents textes et les controverses parmi les spécialistes, il est sûr qu'en 1594 est jouée à Londres la pièce de Christopher Marlowe intitulée *The Tragical History of Dr. Faustus*. Cette pièce a été rédigée en s'inspirant directement du recueil allemand. Son auteur est mort, poignardé. Elle connaît un grand retentissement. C'est elle qui, introduite en Allemagne par une tournée de comédiens anglais, donne lieu ensuite à diverses

tout fut proclamé diabolique dans la foi antique du chrétien : la messe et les sacrements, les cérémonies et la liturgie, les images et les saints, la hiérarchie céleste et terrestre, les livres, la théologie, tout enfin. Depuis le pape et les cardinaux jusqu'aux donneurs d'eau bénite des églises, l'eau bénite elle-même et l'aspersoir, tout devient suppôt du diable et diabolique. Le pape fut proclamé Antéchrist, et Rome la bête à sept têtes. »

adaptations par de nombreuses troupes allemandes ; elle aussi qui y inspire de multiples
spectacles de marionnettes.

On continue de discuter du sens à conférer
à ce Faust élisabéthain : pièce chrétienne
porteuse d'une moralité médiévale ou, au
contraire, « tragédie blasphématoire »[1] ? La
dispute s'avère d'autant plus vive que la personne de l'auteur lui-même, Marlowe, a toujours soulevé les passions[2]. Le magicien
semble se muer franchement ici en un homme

1. Sur Christopher Marlowe et les querelles d'interprétation au sujet de son Faust, voir Frances Yates, *La
Philosophie occulte à l'époque élisabéthaine*, 2e partie,
chapitre 11 (trad. franç. Dervy Livres, Paris 1987). Pour
ce qui est des dates, la grande historienne anglaise
donne 1592 pour la première traduction de l'*Histoire*,
et 1604 pour la première édition du texte imprimé.

2. On peut s'en faire une idée à la lecture du récent
roman d'Anthony Burgess, *Mort à Deptford* (trad. franç.
Grasset, Paris 1995). L'auteur a cette phrase très juste :
« Dans le *Docteur Faust* un je ne sais quoi transcendait
le contenu de la pièce, qui attacha à Kit [Marlowe] une
sorte d'auréole, non pas simplement d'athéisme, mais
de diablerie » (p. 186). Frances Yates fait remarquer
que « la mise en scène diabolique utilisée lors des représentations cause une forte excitation et de grandes terreurs. Des diables hirsutes avec des pétards dans la
bouche couraient en rugissant sur la scène ; des tam-
bours faisaient tonner l'orage dans les coulisses ; des
techniciens créaient des éclairs artificiels dans les
cieux ». Et elle ajoute cette anecdote : « On a dit au
dix-septième siècle qu'il y avait eu une apparition réelle
du diable sur scène pendant une représentation du
Faust » (F. Yates, *op. cit.*, trad. franç. p. 166).

de la Renaissance assoiffé de connaissances. Le pacte avec le Diable est là. Ayant vendu son âme, Faust n'échappe pas à la damnation éternelle. L'avant-dernière scène marque le temps fort de la pièce : Lucifer et Belzébuth surgissent dans le fracas du tonnerre. Ils emmènent Faust qui clame inutilement son repentir. Péché d'orgueil, péché mortel. Flammes éternelles. Tragédie chrétienne.

Variante de cette interprétation : on remarque que les paysans ne cessent, au cours de la pièce, de tourner Faust en ridicule. Dérision de son prétendu héroïsme. Comédie chrétienne. L'interprétation, en toute cohérence, peut alors se retourner complètement. La pièce apparaît comme un long blasphème de Marlowe. Faust se présente comme « une sorte de Prométhée condamné à mort, mais que sa faim de savoir et sa volonté de puissance transforment en modèle héroïque ». Le philosophe Georges Santayana (1863-1952) a ainsi vu dans le destin de ce personnage le martyre de l'homme de la Renaissance en lutte contre l'asservissement de l'esprit par les autorités religieuses.

D'autres historiens le considèrent comme une parodie de la moralité médiévale. La pièce montrerait que c'est l'ordre du monde qui est mauvais. Faust serait alors la victime d'une faute qu'il ne pouvait pas ne pas commettre. Son destin n'est-il pas tributaire du paradoxe même de l'éthique chrétienne : par nature fail-

lible, on demande à l'homme d'être infaillible ?
Variante radicalisée : la véritable tentation de
ce Faust n'est-elle pas, à plusieurs reprises,
non de suivre Lucifer mais de se soumettre à
Dieu ? Tragédie athée : Faust meurt de n'avoir
pu se libérer de Dieu.

L'interprétation la plus étonnante, sinon la
plus stimulante, est celle que donne Frances
Yates. Elle relie avec précision le contenu de
la pièce de Marlowe aux thèmes de la chasse
aux sorcières qui se déchaîne alors en Europe.
Il s'agirait d'une machine de guerre dirigée
contre Cornelius Agrippa (1486-1535) identifié à Faust, lui-même présenté comme un
adepte de la magie noire. Marlowe aurait
contribué par « un travail de propagande effi-
cace » à conférer un impact populaire au mouvement de réaction contre la Renaissance élisabéthaine. Mouvement qui, en Angleterre,
aurait visé à « noyer la kabbale chrétienne »
(Edmund Spenser, Walter Raleigh, John
Dee...) dans la chasse aux sorcières en assimi-
lant la magie naturelle à la magie démoniaque.

Le siècle suivant s'intéressera à la réalité
historique du personnage de Faust. On
s'emploiera à le détacher de « toutes ces histoires de tentations diaboliques, d'appari-
tions étranges et de fantômes », lesquelles ne
sont qu'« autant de fantasmes engendrés par
certains esprits craintifs ». En même temps
cependant se multiplieront les traités de
magie antidatés qui lui seront attribués, selon

la logique générale des « Contre-Lumières ». Ce personnage mérite-t-il vraiment l'intérêt qu'on lui porte ? demande-t-on alors. Sans aucun doute répondent tous ceux qui s'en emparent au temps de l'*Aufklärung,* quoiqu'en un sens très nouveau. Gotthold Ephraïm Lessing (1729-1781) est le premier à esquisser une nouvelle version dramatique de l'histoire de Faust. Le prologue donne le ton : les démons tiennent assemblée, installés sur les autels d'une vieille cathédrale. Traditionnel « concile des diables » emprunté au populaire théâtre des marionnettes. L'un d'entre eux se fait fort d'entraîner Faust, puisque, dit-il, « la soif de connaissance est la source de tous les vices »... On ne dispose que de quelques fragments de cette pièce qui resta inachevée ; assez cependant pour savoir que les diables perdent la partie. Ce qui représente un véritable retournement par rapport au schème antérieur. Il semble que Lessing ait mis ces mots dans la bouche des anges s'adressant aux diables au cours d'une ultime grande bataille : « Ne vous réjouissez pas, car vous n'avez pas vaincu l'humanité ni la science ; en effet, si Dieu a donné à l'homme le plus noble des instincts, ce n'est pas pour le rendre malheureux à jamais ; ce que vous avez vu, et que vous croyez maintenant posséder, n'est qu'un fantôme. »

Goethe : est-il damné ? est-il sauvé ?

Sous la plume des jeunes poètes de la génération suivante, Faust apparaît comme un héros entré en révolte contre un monde mal fait, assez audacieux pour défier la moralité, la société et la religion, et conclure une alliance avec le démon. Friedrich Maximilian von Klinger (1752-1831), l'inventeur de l'expression *Sturm und Drang* qui est resté attachée à ce mouvement intellectuel, imagine un étrange Faust, inventeur de l'imprimerie, qui apparaît comme l'instrument d'une vengeance satanique contre le ciel parce qu'il répand par les livres la philosophie des Lumières. Friedrich (Maler) Muller (1749-1825) écrit : « L'homme désire bien plus que Dieu et le diable ne peuvent lui donner. » Les Faust se multiplient[1] ! C'est cependant avec Goethe que le personnage prend place définitive dans la pensée occidentale moderne.

Mais lorsqu'on évoque l'œuvre de Goethe, on doit affronter un paradoxe majeur. Le projet d'une œuvre consacrée à Faust a accompagné le poète tout au long de sa vie : de l'*Urfaust* dont on a retrouvé la trace datant de 1771-1773, à *Faust un fragment* (1790), puis la publication en 1808 de la première

1. Voir l'impressionnante bibliographie raisonnée établie par André Dabezies in *Le Mythe de Faust*, p. 365-385.

84

partie de *Faust* et, enfin, à 1832 lorsqu'est publiée, juste après sa mort selon sa volonté, la deuxième partie de ce dernier texte sous les espèces d'une tragédie en cinq actes à laquelle l'auteur a retravaillé depuis 1825. Cette œuvre comporte donc deux parties. Or seule la première a été publiée de son vivant. A la fin de ce « premier Faust », le destin du personnage principal restait incertain. Avec le thème du pacte avec le diable, et le funeste destin de Marguerite, s'était alors imposée l'image conforme à la tradition d'un être voué à la damnation. Un quart de siècle plus tard, on devait avoir la surprise de découvrir sa rédemption à l'extrême fin de la seconde partie... Les exégètes se divisent essentielle- ment entre ceux qui affirment l'unité de l'œuvre et ceux qui voient dans le « second Faust » un revirement de Goethe. Toutes les solutions médianes ont été avancées avec plus ou moins de bonheur.

La première partie connaît immédiatement un immense succès. Elle donne tout son éclat au traditionnel « pacte avec le Diable », mais elle transfigure le personnage de Faust aussi bien par rapport à la légende qu'au regard de ses interprétations « classiques » (Mar- lowe), ou récentes (Lessing) ; Goethe intro- duit le drame de Marguerite comme un élé- ment essentiel de la pièce en 1808, mais il laisse ouverte apparemment la question du destin de Faust : sera-t-il damné ou sauvé ?

A bien lire, la rédemption de Faust se trouve pourtant annoncée dès le début de la pièce dans la version qui en a été publiée en 1808.

Le « Prologue dans le Ciel » met en scène le Créateur et Méphistophélès entourés des trois archanges, Raphael, Gabriel et Michel. De l'homme, Méphisto décrit la misérable condition, et il en fait vivement reproche à Dieu. « Je n'ai rien à dire du soleil et des sphères, mais je vois seulement combien les hommes se tournent. Le petit dieu d'en bas est encore de la même trempe et bizarre comme au premier jour. Il vivrait je pense plus convenablement, si tu ne lui avais frappé le cerveau d'un rayon de céleste lumière. Il a nommé cela raison, et ne l'emploie qu'à se gouverner plus bêtement que les bêtes. » C'est le Créateur lui-même qui évoque alors impromptu le cas du docteur Faust. Le personnage est singulier. Il pousse à l'extrême les traits de l'humaine condition qui, vient-il d'être dit, la vouent au malheur. Au Créateur qui vient de le présenter comme son « serviteur », Méphisto-phélès réplique : « Sans doute. Celui-là vous sert d'une manière étrange. Chez ce fou rien de terrestre, pas même le boire et le manger. Toujours son esprit chevauche dans les espaces, et lui-même se rend compte à moitié de sa folie. Il demande au ciel ses plus belles étoiles et à la terre ses joies les plus sublimes, mais rien de loin ni de près ne suffit à calmer la tempête de ses désirs. » Voici alors le pari initial. Le Créateur : « Il me cherche ardemment dans l'obscurité et je veux bientôt le conduire à la lumière. » Méphistophélès : « Voulez-vous gager que celui-là, vous le perdrez encore ? Mais laissez-moi le choix des moyens pour l'entraîner doucement dans mes voies. » Le Créateur : « C'est bien, je le permets. Ecarte cet esprit de sa source et conduis-le dans ton chemin, si tu peux ; mais sois confondu, s'il te faut reconnaître qu'un homme de bien, dans la tendance confuse de sa raison, sait distinguer et suivre la voie étroite du Seigneur. »

Le fameux pacte de Faust avec Méphistophélès ne prend son sens qu'à la lumière de *ce pari*, qui le précède et le surplombe dans un style d'apparence biblique inspiré presque mot pour mot du Livre de Job[1] : « Or, un jour, les fils de Dieu se présentèrent devant l'Eternel, et Satan vint aussi au milieu d'eux. L'Eternel dit à Satan : "D'où viens-tu ?". Satan répondit à l'Eternel : "Je viens de parcourir la Terre et de m'y promener". L'Eternel dit à Satan : "As-tu remarqué mon serviteur Job ? Il n'y a pas d'homme comme lui sur la Terre. Il est intègre et droit ; il craint Dieu et se tient éloigné du mal". Satan répondit à l'Eternel : "Est-ce donc pour rien que Job craint Dieu ? N'as-tu pas élevé comme une clôture autour de lui, autour de sa maison et de tout ce qui

---

1. Livre de Job I (6-12).

lui appartient ? Tu as béni l'œuvre de ses mains, et ses troupeaux couvrent tout le pays. Mais étends ta main, touche à tout ce qui lui appartient ; on verra s'il ne te maudit pas en face !...". L'Eternel dit à Satan : "Eh bien ! tout ce qui lui appartient est en ton pouvoir ; seulement ne porte pas la main sur sa personne". Alors Satan se retira loin de la présence de l'Eternel. »

Certes, un pacte est signé. Méphisto accepte d'assister, de « servir » Faust dans toutes ses entreprises. Il lui offrira tous les moyens magiques dont il dispose pour l'aider dans ses desseins. Le docteur s'engage en échange à appartenir au Diable dans l'au-delà.

La méticuleuse mise en scène du pacte est très éclairante. Le premier moment se situe dans le cabinet d'étude de Faust. Le chien noir s'est, non sans fracas, métamorphosé en Méphistophélès lequel vient de se présenter en termes mémorables : « Je suis l'esprit qui toujours nie ; et c'est avec justice : car tout ce qui existe est digne d'être détruit, il serait donc mieux que rien n'existât. Ainsi, tout ce que vous nommez péché, destruction, bref ce qu'on entend par mal, voilà mon élément »... Mais le Diable se trouve pris au piège : un pentagramme magique est tracé sur le seuil et l'empêche de sortir par où il est entré. Or « c'est une loi des diables et des revenants, qu'ils doivent sortir par où ils sont entrés ». Faust s'exclame interrogatif : « L'enfer même a donc ses lois ? C'est fort bien ; ainsi un pacte fait avec vous, messieurs, serait fidèlement observé. » L'idée du pacte vient ainsi non de Méphisto, mais de Faust lui-même, qui tire les leçons de l'efficacité d'une pratique magique. Mais c'est le Diable qui donne contenu à cette idée lorsqu'il vient à réapparaître sous l'aspect d'un jeune seigneur : « Je veux *ici* m'attacher à ton service, obéir sans fin ni cesse à ton moindre signe ; mais, quand nous nous reverrons *là-dessous,* tu me devras la pareille. » Puis : « Engage-toi ; tu verras ces jours-ci tout ce que mon art peut procurer de plaisir ; je te donnerai ce qu'aucun homme n'a pu même encore entrevoir. » Faust : « Si jamais je puis m'étendre sur un lit de plume pour y reposer, que ce soit fait de moi à l'instant ! Si tu peux me flatter au point que je me plaise à moi-même, si tu peux m'abuser par des jouissances, que ce soit pour moi le dernier jour ! Je t'offre le pari ! » Méphisto : « Tope ! » Faust : « Et réciproquement ! Si je m'adresse à l'instant qui passe et que je lui dis : Reste donc tu me plais tant ! Alors tu peux m'entourer de liens ! Alors, je consens à m'anéantir ! Alors la cloche de la mort peut résonner, alors tu es libre de ton service[1]. »

Le schème du pacte subit ainsi par rapport à celui de la tradition une double modification. La fameuse durée des vingt-quatre ans

1. *Faust I*, traduction de Gérard de Nerval.

ne fixe plus l'échéance. Aucune autre n'est assignée que celle de l'éventuelle parole de Faust s'avouant vaincu, parce qu'il aurait enfin pu vivre un instant de pleine satisfaction. L'incertitude demeure ainsi jusqu'à la fin de la deuxième partie. Et même un peu au-delà puisque la fameuse parole, Faust ne la prononce qu'au conditionnel[1]... Autre modification : le pacte renvoie au pari préalable. Or, de toute évidence, Dieu sait que Satan échouera en définitive à s'approprier l'âme de Faust. De même celui-ci garde-t-il la conviction que Méphisto ne parviendra pas à combler ses aspirations. Jamais il n'obtiendra un instant de jouissance si pleine qu'il voudrait l'éterniser.

Le personnage mis en scène dans la première partie de Faust représente le type même de l'homme romantique. Deux âmes se partagent son sein, dit-il, et chacune d'elles veut se séparer de l'autre : l'une, ardente d'amour, s'attache au monde par le moyen des organes du corps ; un mouvement surnaturel entraîne

1. Devant le travail collectif d'assèchement du marais hollandais, Faust désormais aveugle s'exclame : « C'est là l'ultime leçon de la sagesse : Celui-là seul mérite la liberté et la vie Qui chaque jour doit les conquérir. Et ainsi, environnés de péril, L'enfance, l'âge mûr, la vieillesse déroulent leur cycle fécond. Ce fourmillement, je voudrais le voir, Me tenir sur une terre libre parmi un peuple libre. A l'instant qui passe, *je pourrais dire alors :* Arrête-toi, tu es si beau ! » (vers 11 574-11 581).

l'autre loin des ténèbres... « Image de Dieu », il se trouve constamment tenaillé par le désir de l'égaler et par la conscience de n'y pouvoir parvenir : « Moi, l'image de Dieu, qui me croyais déjà parvenu au miroir de l'éternelle vérité, qui dépouillé, isolé des enfants de la terre, aspire à toute la clarté du Ciel... ». Faust s'adresse à l'Esprit de la Terre : « N'ai-je pas prétendu t'égaler ?... Mais si je possède assez de force pour t'attirer à moi, il ne m'en est plus resté pour t'y retenir. Dans cet heureux moment, je me sentais tout à la fois si petit et si grand ! Tu m'as cruellement repoussé dans l'incertitude de l'humanité. » C'est de ce désespoir que Méphistophélès s'empare pour l'attirer dans son pacte. Plus de science désormais, mais la vie dans sa plénitude. « Méprise bien la raison et la science, suprême force de l'humanité. Laisse-toi désarmer par les illusions et les prestiges de l'esprit malin, et tu es à moi sans restriction. »

A suivre les aventures du Docteur et de son illustre serviteur, à compatir au drame de Marguerite, on peut avoir le pressentiment d'un destin très funeste. La lecture de la deuxième partie renverse cependant la perspective.

Pour le lecteur, c'est très évidemment Dieu en effet qui, au terme de la tragédie, a gagné son pari. Faust a prononcé, dans les conditions qu'on vient de rappeler, la parole fatale – celle qui déclare sa pleine satisfaction. Il peut mourir. Mais, cette satisfaction, il ne la doit nullement aux artifices de Satan ; au contraire, elle n'exprime que le bonheur de s'être enfin libéré des faux espoirs que lui a inspirés le Diable. Il meurt donc, mais, ainsi purifiée par sa quête, son âme échappe à Méphistophélès, elle est emportée au Ciel par les anges. La « clé de sa rédemption » se trouve dans les vers qu'ils chantent alors, écrit Goethe à son ultime ami et confident Johann Peter Eckermann le 6 juin 1831 : « L'activité toujours plus intense et plus pure où il a persévéré jusqu'à la fin et, venant d'en haut, l'amour éternel qui l'assiste. » Le mot vient alors sous sa plume : ce salut, il le doit non à ses seules forces, mais à la grâce divine[1]. Conclusion que Heinrich Heine (1797-1856)

1. Goethe attire l'attention de son ami sur ce passage de l'Acte 5 où les Anges célèbrent leur victoire sur Méphistophélès et ses lémures, hideux serviteurs, squelettes auxquels s'accrochent encore quelques lambeaux de chair. Les Anges planent dans l'atmosphère d'en haut et portent l'élément immortel de Faust : « Sauvé du Malin est le noble adepte du monde des Esprits, Celui qui s'efforce toujours et cherche dans la peine, nous pourrons le sauver, Et si, surtout, l'amour D'en haut intercède en sa faveur, La troupe bienheureuse vient au devant de lui Et fête de tout cœur sa bienvenue. » Goethe commente : « Cela est parfaitement en harmonie avec notre conception religieuse, suivant laquelle nous arrivons à la béatitude non seulement par nos propres forces mais aussi par l'intervention de la grâce divine » (*Conversations de Goethe avec Eckermann*, trad. franç. Gallimard, Paris 1949 – 19e éd.).

a jugé étrangement et scandaleusement « catholique », et contre laquelle s'emporteront bien des lecteurs rationalistes.

Le dénouement fait cependant aussi apparaître un autre ressort de cette tragédie. Lassé des longues aventures mythologiques où l'a entraîné sa quête symbolique en compagnie de Méphistophélès, laissant là la politique et la guerre qui l'ont épuisé, Faust s'engage dans ce qui apparaît comme la véritable action. La voie du salut, il l'a enfin découverte : c'est celle du « grand œuvre », mais en un sens radicalement nouveau. Non plus celui des alchimistes, mais celui des travaux collectifs rationnellement organisés en vue de l'intérêt général. Après une dernière mauvaise action – le diabolique incendie de la maison de Philémon et Baucis –, Faust atteint la suprême félicité aux commandes d'un chantier destiné à assécher un marais hollandais.

C'est le *Faust I* de Goethe qui n'a cessé de susciter des créations littéraires et artistiques. En France où le texte a trouvé un traducteur d'exception en la personne de Gérard de Nerval, on voit Eugène Delacroix (1798-1863) lui consacrer en 1829 une série de superbes lithographies. Satan y apparaît tour à tour comme l'esprit tentateur, l'ange déchu et le démon de la critique. Ayant lu la traduction inspirée de Nerval, Hector Berlioz (1803-1869) enthousiasmé conçoit le projet de *Huit scènes de Faust*. Ces huit tableaux, retravaillés et réordonnés, constituent autant d'éléments de la *Damnation de Faust* telle qu'il l'élabore pendant l'hiver 1845-1846. Berlioz voit en Faust un rêveur dont l'âme tourmentée est en quête d'apaisement, une proie facile pour le forban qu'est Méphistophélès, cependant que Marguerite saisie par la passion amoureuse n'est que l'innocente victime d'un complot diabolique.

Les deux exécutions de la *Damnation* à l'Opéra Comique de Paris en 1846 furent un échec complet, et un gouffre financier pour le compositeur. Il en alla bien autrement de l'opéra de Charles Gounod (1818-1893) créé au Théâtre Lyrique le 19 mars 1859. Il connut tout de suite un retentissant succès. Mais comme on l'a souvent remarqué, c'est ici la tragédie de Marguerite qui occupe le devant de la scène, et le personnage de Faust, passé le premier acte, n'en sort pas vraiment grandi : vieux séducteur incapable même de jouir d'une jeunesse artificiellement reconquise...[1]

Pour donner une idée du succès de l'œuvre de Goethe à la fin du dix-neuvième siècle, il faudrait évoquer aussi les œuvres musicales de Robert Schumann (1810-1856) composées entre 1844 et 1853, la *Faust-Symphonie* de Franz Liszt (1854-1857) pour orchestre, ténor

1. Les Allemands donnent à l'œuvre de Gounod le titre de *Marguerite*.

et chœur d'hommes... Les romantiques allemands, de Christian Dietrich Grabbe (1829) à Nikolaus Lenau (1836), mènent eux aussi résolument leur Faust à la damnation, ce que fera encore Heinrich Heine (1856). Les uns et les autres présentent le personnage comme victime de ses aspirations et de ses actes, de sa nostalgie de l'infini et de l'amour, de son individualisme orgueilleux.

Deux récits

Le récit que donne Carl Jung de sa rencontre avec le personnage de Faust dans son autobiographie jette une lumière sur le partage qui définit, selon lui, l'« âme moderne »[1]. Il témoigne en tout cas de la persistance de son pouvoir d'envoûtement. C'est sa mère qui conseille un beau jour cette lecture à son fils tourmenté par la question du mal : « Il faut que tu lises le *Faust* de Goethe. » Jung raconte : « Nous possédions une belle édition définitive de Goethe. J'y pris le *Faust*. Ce fut comme un baume miraculeux qui coula dans mon âme. Enfin, me dis-je, un homme qui prend le diable au sérieux et même qui conclut avec lui, l'adversaire, un pacte de sang, avec lui qui a le pouvoir de

1. *Problèmes de l'âme moderne* (trad. franç. Buchet-Chastel, rééd. 1991).

contrecarrer l'intention divine de créer un monde parfait. »

L'enthousiasme du tout jeune homme ne va cependant pas jusqu'à s'identifier au personnage : « Je déplorais la façon d'agir de Faust ; à mon avis, il n'aurait pas dû être si partial et si aveuglé. Il aurait dû être plus habile et aussi plus moral. Perdre son âme avec tant de légèreté me semblait puéril. Faust était évidemment un écervelé ! » C'est vers Méphisto que se tourne sa sympathie : « Je n'aurais éprouvé aucun regret si l'âme de Faust était descendue aux enfers. Ç'aurait été bien fait pour lui ! A la fin, le "diable trompé" ne me plaisait pas du tout ; car Méphisto était tout ce qu'on voulait, mais sûrement pas un sot, que des angelots auraient pu mener par le bout du nez. C'est dans un tout autre sens que Méphisto me semblait avoir été trompé : il n'avait pas obtenu le droit qui lui avait été reconnu par écrit et Faust, ce compagnon hâbleur et sans caractère, avait poussé sa duperie jusque dans l'au-delà. »

Faust ne quitte dès lors plus l'âme de Jung. On le découvre à l'occasion de son entrée à l'Université, quelques années plus tard : « Faust, je le pressentais avec quelque frayeur, était pour moi plus que l'évangile de Saint Jean que j'aimais tant. En lui vivait quelque chose que je ne pouvais vivre immédiatement. Le Christ johannique m'était étranger, mais plus étranger encore le rédempteur synoptique. [...] Mon parrain et mon garant, c'était le grand Goethe lui-même. » Les années passent. Le disciple de Sigmund Freud (1856-1939), désormais un praticien reconnu de la psychiatrie, retrouve une nouvelle fois Faust – le deuxième Faust. La perspective est différente. Son métier l'oblige à affronter le monde « des images inconscientes qui plongent le malade mental dans une confusion inextricable ». Il fait alors remarquer que ce monde est « aussi la matrice de l'imagination créatrice des mythes, imagination avec laquelle notre ère rationaliste semble avoir perdu le contact ». Et de regretter vivement que, bien que « partout et toujours présente », elle soit « tout aussi honnie que crainte ». Au point qu'il puisse apparaître comme une aventure bien risquée ou même douteuse de s'engager sur le sentier qui mène à ses profondeurs inconscientes. Ce sentier ne passe-t-il pas pour celui de l'erreur, de l'ambiguïté et de l'incompréhension ? Jung invoque Goethe : « Je pense à la parole de Goethe : "Pousse hardiment la porte devant laquelle tous cherchent à s'esquiver". » « Or, ajoute-t-il, le deuxième *Faust* est plus qu'un simple essai littéraire. Il est un chaînon de l'*Aurea catena*[1],

1. L'idée qu'une « Chaîne d'or » puisse relier Ciel et Terre était déjà présente chez Homère dans l'*Iliade* et dans le *Timée* de Platon. Elle constitue l'un des postulats essentiels de l'hermétisme gréco-alexandrin. L'Alchimie trouve dans cette « Magie naturelle » le fon-

de cette chaîne d'or qui, depuis les débuts de l'alchimie philosophique et de la gnose jusqu'au Zarathoustra de Nietzsche, représente un voyage de découvertes – le plus souvent impopulaire, ambigu et dangereux – vers l'autre pôle du monde. »

Un autre récit montre qu'à ladite chaîne n'ont pas hésité à se rattacher les fondateurs de la physique quantique eux-mêmes[1]. Au printemps 1932, les physiciens fêtaient le dixième anniversaire de l'*Institüt for teoretisk fysik* de Niels Bohr (1885-1962) à Copenhague. Cette année se trouvait être aussi celle du centenaire de la mort de Goethe. Ils décidèrent de clore la célébration de leurs découvertes par la mise en scène d'une parodie de *Faust*. Le personnage de Méphistophélès fut attribué au physicien Wolfgang Pauli (1900-1958), celui du Seigneur à Bohr, celui de Faust à Paul Ehrenfest (1880-1933).

Le pari porte sur l'existence et le rôle d'une particule sans masse et sans charge (le *neutrino)* ainsi que sur la portée opératoire de la pure théorie. Méphistophélès-Pauli doit

dement de sa pratique. En 1723, a été publié *La Chaîne d'or d'Homère* d'A.J. Kirchweger, traduit en français en 1772 sous le titre de *La Nature dévoilée*. Sur tous ces points, voir Françoise Bonardel, *Philosopher par le feu : Anthologie de textes alchimiques occidentaux* (Seuil, Paris 1995).

1. Voir l'étude de Incorvati in *Théorie du droit et science* (PUF, Paris 1994).

vaincre la résistance de Faust-Ehrenfest en faisant paraître sur la scène le neutrino dans le rôle de Marguerite. Seul Faust-Ehrenfest en définitive résiste à la séduction du spectacle. Il affirme que les preuves sont toujours « fabriquées », produites par la théorie. La deuxième partie de la parodie fait apparaître James Chadwick (1891-1974) – le « découvreur » du neutron la même année – dans le rôle de Wagner, le parfait expérimentateur. Elle entraîne Faust-Ehrenfest dans la « nuit de Walpurgis-quantique ». Le rapport des spectateurs au spectacle est bouleversé. Les spectateurs doivent eux-mêmes entrer en action...

La parodie ne manque pas d'ingéniosité, ni, il faut l'avouer, de quelques lourdeurs. Elle mérite cependant d'être rappelée pour le tour tragique que prirent les suites de la représentation. Ehrenfest s'empara du personnage de Faust auquel on l'avait identifié pour nourrir sa mélancolie au cours des mois suivants. Cette physique nouvelle, ruminait-il, avec son formalisme mathématique opprimant, est diabolique. Il se suicida le 25 septembre 1933...

Un autre trait de cette parodie attire l'attention. L'auteur du texte, Max Delbrück (1906-1981), sera l'un des fondateurs de la biologie moléculaire...

Le démon de Victor Frankenstein

Mary et Victor

Voici un contemporain du Faust de Goethe dans la chronologie des œuvres : le personnage qu'enfante en 1816 la plume intrépide mais tourmentée de Mary Shelley dans un roman publié sans nom d'auteur en 1818 sous le titre de *Frankenstein ou le Prométhée moderne*. Celle qui devient alors, âgée de dix-neuf ans, la seconde épouse du poète Percy Bysshe Shelley était le fruit de l'union de deux écrivains qui avaient beaucoup écrit contre le mariage avant d'y sacrifier à leur tour : le célèbre philosophe athée qui portait hardiment le nom de William Godwin (1756-1836) et l'écrivain féministe Mary Wollstonecraft.

Par le texte de l'introduction qu'elle a rédigée pour l'édition de 1831, nous connaissons les circonstances qui sollicitèrent l'imagination de la jeune femme. Un été pluvieux sur les bords du lac Léman se passe avec son mari aux côtés de Lord Byron et de son médecin Polidori. Byron lance parmi ses amis désœuvrés un concours d'histoires de revenants (« ghost stories »). Au cours de l'une des soirées suivantes, la conversation entre les deux poètes porte sur une expérience d'Erasme Darwin, le naturaliste dont on ne savait pas encore qu'il serait le grand-père de Charles. On disait qu'il avait réussi à donner vie à un fragment de matière inanimée préservé dans une éprouvette. Il prétendait avoir ainsi prouvé la génération spontanée du vivant.

La jeune Mary, jusque-là désespérément en quête d'une intrigue, troublée par ce récit, ne peut s'endormir. Son esprit s'enflamme. « La tête sur l'oreiller, rapporte-t-elle quinze ans plus tard, je ne dormais pas, on ne pouvait pas dire non plus que je pensais. Mon imagination, sans y avoir été invitée, s'empara de moi, me guida et me fit don des images successives qui se présentèrent à mon esprit avec une vivacité bien supérieure à celle de mes rêves ordinaires. »

Que voit-elle ? Chaque mot ici a pu être pesé : « Je vis le pâle étudiant en arts profanes ("unhallowed arts") agenouillé à côté de la chose ("the thing") qu'il avait assemblée. Je vis le fantôme hideux d'un homme ("a man") allongé, qui, relié au mécanisme de quelque puissante machine, donnait des signes de vie et remuait d'un mouvement mal aisé à moitié vivant ("half vital"). C'était un spectacle effrayant. Que peut-on imaginer en effet de plus effrayant qu'une tentative humaine pour parodier ("to mock") le merveilleux travail du Créateur du monde ? Sa propre réussite épouvantait l'artiste ; il prenait la fuite loin de son odieux ouvrage, frappé d'horreur. Il espérait que, laissée à elle-même, la légère étincelle de vie communiquée allait s'éteindre et que la chose ("the thing") qui avait reçu une animation aussi imparfaite allait retomber à l'état de matière morte ; il pouvait dormir tranquille assuré que le silence de la tombe dissimulerait pour toujours l'existence éphémère du cadavre hideux ("hideous corpse") qu'il avait considéré comme le berceau de la vie. Il dort, mais on le réveille ; il ouvre les yeux ; il aperçoit l'horrible chose qui se tient debout auprès de son lit, qui ouvre les rideaux et le regarde de ses yeux jaunes, humides mais qui pensent[1]. »

Elle écrit alors le roman avec l'aide de son époux qui le préface et le fait publier anonymement. Le succès ne tarde pas à venir. La rumeur court que l'auteur ne serait autre que Shelley lui-même. Les versions théâtrales puis cinématographiques en ont été depuis lors si nombreuses, souvent si caricaturales ou si peu fidèles au texte initial qu'on a

1. Mary Shelley, *Frankenstein* (Pan Books, London 1994), p. 10-11.

presque fini par oublier la lettre du récit publié[1]. On a par ailleurs donné du roman des interprétations philosophiques, sociologiques, psychanalytiques... si sophistiquées qu'on risque d'en perdre la visée essentielle. Une visée qui se trouve pourtant nettement exprimée par le sous-titre : *« le Prométhée moderne »*.

Mais de quel « Prométhée » la jeune romancière pense-t-elle avoir ainsi donné la figure moderne ? Sans aucun doute, il s'agit du Prométhée latinisé comme « plasticator », celui qui façonne la race des mortels humains avec de l'argile et du feu. Les historiens le confirment : la jeune fille avait lu la traduction par l'écrivain anglais John Dryden (1631-1700) des *Métamorphoses* d'Ovide qui présente cette version du mythe grec[2].

1. Pour un aperçu des écrits, pièces de théâtre et films inspirés par le roman de Mary Shelley, voir l'excellent livre de Maurice Hindle, *Mary Shelley*, *Frankenstein* (Penguin Books, London 1994).

2. « L'homme naquit, soit que le dieu créateur, auteur d'un monde meilleur, l'eût formé de la semence divine, soit que la terre dans sa nouveauté, récemment dégagée des couches profondes de l'éther, eût conservé quelque germe de son frère le Ciel, et que cette terre, le fils de Japet, en le mélangeant aux eaux de pluie, l'ait façonnée à l'image des dieux, modérateurs de toutes choses. Et, tandis que les autres animaux, penchés vers le sol, n'ont d'yeux que pour lui, à l'homme il donna un visage tourné vers le ciel, dont il lui proposa la contemplation, en l'invitant à porter vers les astres ses regards levés vers eux » (*Les Métamorphoses* I. 70-89).

Les ambitions de Victor

Dès les premiers mots du récit de Victor apparaissent les mots consacrés qui signalent son identité. S'il sympathise avec le capitaine Walton qui l'a recueilli, mourant, sur son navire, cela tient à ce que ce dernier veut lui aussi être « un bienfaiteur de l'humanité », en découvrant à proximité du pôle un passage maritime vers le Pacifique Nord, et « en perçant le secret de la force magnétique ». Victor, à entendre ces confidences, se remémore sa prime jeunesse. Alors qu'Elisabeth, la fille adoptive de ses parents, sa compagne de tous les instants, « contemplait avec sérénité et enchantement les magnifiques aspects des choses », lui au contraire voulait en découvrir « les causes profondes » – « Le monde était pour moi un secret que j'avais à découvrir. » Ce qui se précise au cours des années suivantes : « C'étaient les secrets du ciel et de la terre que je voulais découvrir », « le secret physique des choses ». Lui aussi avait des « visions d'utilité universelle »... Isaac Newton (1642-1727) et ses disciples le déçoivent. Ils ont renoncé à l'étude des causes ; l'essentiel de leur activité semble se résumer à détruire les illusions de leurs prédécesseurs ! La lecture, à l'âge de treize ans, des alchimistes – Cornelius Agrippa, Paracelse et Albert Le Grand – vient donner un contenu à cette ambition. Le jeune étudiant se met donc en quête de la pierre philosophale et de l'élixir de vie. Et concentre ses efforts sur ce dernier. « La fortune n'était à mes yeux qu'un but inférieur, mais quelle gloire s'attacherait à ma découverte, si je réussissais à libérer l'organisme humain de la maladie et à rendre l'homme invulnérable, sauf à une mort violente ! »

S'il refuse de rabaisser les ambitions de la science, Victor ne tarde pas à se détourner de l'alchimie pour les réaliser. En vacances à Belrive, non loin de Genève où il habite, il assiste à un orage d'une violence inouïe. « Alors que je me tenais sur le pas de la porte, je vis soudain un torrent de feu jaillir d'un beau vieux chêne situé à une vingtaine de mètres de la maison. Dès que l'aveuglante lumière se fut dissipée, je m'aperçus que l'arbre avait disparu. » Il n'avait jusque-là jamais entendu parler des lois de l'électricité. A cette occasion, un homme « très versé en philosophie naturelle » l'y initie ainsi qu'aux principes du galvanisme.

Malgré l'antipathie que lui inspire d'emblée l'arrogance rationaliste du Professeur Krempe lorsqu'il arrive à l'Université d'Ingolstadt[1] pour y étudier – « J'étais loin de

---

1. De nombreux interprètes voient dans *Frankenstein* une parabole politique. « Une espèce de tract antijacobin avec le monstre représentant tout ce que l'ordre social redoutait le plus », écrit William St. Clair in *The Godwins and the Shelleys : the biography of a family* (Faber and Faber, Londres 1989). Selon Anne

m'attendre en cet âge scientifique à rencontrer un disciple attardé d'Albert et de Paracelse ! » lui lance le Maître –, c'est bien vers les sciences modernes qu'il se tourne pour « explorer les forces encore inconnues et révéler au monde les mystères les plus secrets de la création ». Victor s'oriente désormais vers la chimie, mais « dans le sens le plus complet » du terme. Car il refuse de « troquer des chimères d'une infinie grandeur contre les réalités de médiocre valeur ». Il s'enthousiasme à entendre le Professeur Waldam, lyrique, décrire les exploits des maîtres de la chimie moderne : « Ces philosophes, dont les mains ne semblaient servir qu'à barboter dans la saleté, et les yeux à questionner le microscope ou le creuset, ont en vérité accompli des

K. Mellor, « Mary Shelley a conçu la créature de Victor Frankenstein comme une incarnation de la nation française révolutionnaire » in *Mary Shelley : Her life, Her fiction, Her monsters* (University of Chicago Press, 1989). Ces interprètes attirent l'attention sur le fait que ce soit à Ingoldstadt qu'étudie Victor. Ils font remarquer que cette ville avait été désignée comme le siège d'une fameuse société secrète révolutionnaire fondée en 1776 par le Professeur de Droit, Adam Weishaupt, les *illuminés*. Dans sa très polémique œuvre sur l'histoire du jacobinisme, l'abbé Barruel avait fait de cette société secrète l'âme du complot révolutionnaire en Europe et de ses membres les instigateurs de tous les crimes commis au nom des idéaux de la Révolution. Or, on sait que Mary et Percy Shelley avaient emporté les quatre volumes de cette œuvre dans leur voyage sur le continent en 1814...

miracles. Ils ont pénétré dans les profondeurs de la nature et révélé comment elle agit secrètement. Ils ont accédé au firmament. Ils ont découvert le principe de la circulation sanguine et la composition de l'air que nous respirons. Ils ont acquis des pouvoirs nouveaux et presque illimités. Ils peuvent maîtriser la foudre, mimer les séismes, et même percer à jour certains aspects du monde invisible. » Sa passion, son travail, sa réussite rapide lui valent, au terme de deux années d'études, « beaucoup d'estime et même quelque admiration ». De là son audace : il entreprend d'étudier les « causes de la vie ».

Mary Shelley gardait assurément en mémoire les proclamations hyper-baconiennes d'un ami de son père, le plus renommé des chimistes de son temps, Humphry Davy (1778-1829). En témoigne ce texte de baconisme triomphal qu'on mettrait volontiers dans la bouche du jeune Victor Frankenstein : « La science a doté l'homme de pouvoirs que nous pouvons presque qualifier de créateurs, qui l'ont rendu capable de changer et de modifier les êtres qui l'entourent, et par ses expérimentations d'interroger puissamment la nature non seulement comme un étudiant qui cherche passivement à en comprendre les opérations, mais plutôt comme un maître, actif avec ses instruments... ». Et cette interrogation typique des chimistes d'alors : « Qui n'aurait l'ambition de découvrir les plus profonds secrets de la nature, de s'assurer de ses opérations cachées, et de montrer aux hommes ce système du savoir qui est si intimement lié à leur propre constitution physique et morale ? »

Du secret que découvre Victor et qu'il ne veut révéler à quiconque, on peut se faire une idée à partir de la description qu'il donne de l'animation des tissus et des organes assemblés auquel il procède. Il s'agit bien d'électricité. Lorsque Frankenstein parle de l'« étincelle de la vie » *(spark of life)*, l'expression est à prendre au pied de la lettre. Mais il ne se contente pas de ce savoir. Il lui faut le maîtriser pour créer. Il hésite : ce pouvoir de création, va-t-il l'employer à créer un quelconque animal ? Non, ce sera un être humain à sa propre image ! En se faisant ainsi créateur, ne s'ouvre-t-il pas la voie pour être par excellence le bienfaiteur de l'humanité ? Capable de recréer la vie des êtres qui la perdent et de satisfaire leur inextinguible désir d'immortalité ?

Mary Shelley connaissait les expériences de réanimation menées à Londres en 1802-1803 par Giovanni Aldini, le neveu du célèbre physicien et médecin italien Luigi Galvani (1737-1798). Parmi les premières, on comptait celles, retentissantes, qui avaient été réalisées très officiellement sur des cadavres de criminels au mois de janvier 1803. En présence du Président du Collège Royal des

Chirurgiens, on avait branché les pôles d'une énorme batterie en divers points du corps encore chaud d'un meurtrier, Forster, qu'on venait d'exécuter à Newgate[1].

Les comptes rendus de ces séances faisant état des « mouvements convulsifs » ainsi provoqués avaient fait sensation. Mary Shelley s'est indéniablement inspirée des descriptions alors publiées dans la presse. En Angleterre, on avait acquis la conviction que l'électricité animale existait et qu'en la maîtrisant on pourrait désormais rétablir la vie en cas de noyade et d'étouffement. Les pouvoirs de la science moderne semblaient décidément ne connaître plus aucune limite.

1. Maurice Hindle rappelle que deux passions se partagèrent l'esprit du jeune Shelley, celle de la politique et celle de la science. Etudiant à Oxford, il s'était avec enthousiasme attelé à des expérimentations sur l'électricité. Son ami Thomas Jefferson Hogg a donné, dans sa *Vie de Shelley*, une description savoureuse du comportement exalté du poète dans son laboratoire de « chimie ». On y lit ces lignes : « Après quoi, il chargea une puissante batterie, il y mettait beaucoup d'énergie et il parlait avec une véhémence croissante des pouvoirs merveilleux de l'électricité, d'un coup de tonnerre et d'un éclair ; il décrivait un cerf-volant électrique qu'il avait réalisé chez lui, et il formait le projet d'en construire un autre énorme, ou plutôt une combinaison de nombreux cerfs-volants qui draîneraient du ciel un volume énorme d'électricité, équivalent à celui d'un puissant orage ; et cette électricité dirigée sur un point précis pourrait produire là les résultats les plus stupéfiants » (Maurice Hindle *op. cit.* p. 167). L'intervention du poète dans la conception du roman est ici évidente.

Un Prométhée moderne ?

Mais ce Prométhée n'est pas seulement moderne par les moyens qu'il met en œuvre. Il l'est par sa psychologie : l'étudiant en médecine d'Ingolstadt – comme son « frère » l'explorateur Walton – est, au sens romantique du terme, un individu qui croit à la force mystérieuse de son génie. « Quelque chose vit en mon cœur que je ne puis comprendre », confie Walton. « Je suis foncièrement industrieux, appliqué. Un artisan apte à travailler avec ardeur et persévérance. Mais en plus, il y a en moi un amour du merveilleux... qui me presse de m'éloigner des sentiers battus, jusqu'à affronter ces mers sauvages et ces régions inconnues que je me prépare à découvrir. » Dans ces conditions, il se fie au pouvoir de sa volonté : « Je *veux* croire que le succès viendra couronner mes efforts... Qu'est-ce qui peut arrêter un cœur déterminé et une résolution bien arrêtée ? »

A entendre ces mots, Victor, fasciné et terrifié, redécouvre le trait le plus singulier de son propre caractère. Il se décide à raconter comment se sont retournées ses ambitions contre la noblesse de leurs motifs initiaux. Le « bienfaiteur de l'humanité » s'isole à mesure qu'il consacre à son œuvre « un labeur inimaginable ». Il perd le sentiment des saisons qui passent, le goût de la nature à laquelle il appartient, et jusqu'au sens de l'affection qu'il doit à ses proches – et particulièrement à son père. Bientôt, c'est à sa propre gloire qu'il songe exclusivement : son esprit « se corrompt » pour ne plus être occupé que par de « mesquines pensées personnelles ».

Une scène, au tout début du récit, montre ce mouvement de retournement et amorce la morale du roman. A Victor, qu'il est si heureux de pouvoir entretenir de ses projets, Robert Walton confie : « La vie ou la mort d'un homme ne constitue qu'un prix modique lorsqu'il s'agit d'obtenir en échange la connaissance que je cherche, la maîtrise que je souhaite acquérir, afin de la transmettre à la postérité pour le plus grand bien du genre humain. » « Tandis que je parlais, ajoute-t-il dans la lettre qui relate cet entretien, une profonde tristesse envahit ses traits. Je vis d'abord qu'il s'efforçait de maîtriser son émotion. Puis il mit ses mains devant ses yeux... Il dit finalement d'une voix brisée : – Pauvre homme ! Partagez-vous donc ma folie ? Avez-vous aussi absorbé l'enivrant breuvage ? »

D'où le récit que le rescapé se décide alors à faire de ses tourments : « Il fut un temps où j'étais décidé à emporter le secret de ces maux dans la tombe, mais vous m'avez fait changer d'avis. Vous recherchez la connaissance et la sagesse, comme je l'ai fait moi-même pendant un temps, et je souhaite ardemment que la réalisation de vos désirs ne soit pas, comme ce fut le cas pour moi, pareille à un serpent à l'horrible venin. »

La leçon sera définitivement tirée dans les dernières pages, lorsque Walton se décidera à interrompre son voyage et à faire demi-tour afin de rentrer à Londres. Cette leçon, Frankenstein l'annonce, dès le début : « Apprenez donc, sinon par mes préceptes du moins par mon exemple, combien il est redoutable d'acquérir certaines connaissances, et combien plus heureux que l'homme qui aspire à devenir plus grand que sa nature ne l'y destine, est celui qui s'imagine que sa ville natale est le pivot de l'univers. »

Dans sa postface de 1831, Mary Shelley suggère ce qui constitue sans doute à ses yeux la nature ultime de la faute commise par Frankenstein. Parlant de Victor, elle écrit curieusement : « Sa propre réussite épouvantait l'*artiste*. » On sait pourtant que Frankenstein n'était nullement un artiste, mais un étudiant dévoré par la passion des sciences (« la philosophie naturelle a guidé ma vie »). Commet-elle là un lapsus qui viendrait désigner par mégarde l'artiste, le poète, Shelley son époux ? Peut-être. Il en faudrait alors tirer quelques conclusions quant au désir de meurtre qui s'y révélerait à titre posthume... Mais si le mot a été mûrement choisi, la question se pose alors en ces termes : la faute de Victor n'a-t-elle pas justement consisté à avoir confondu le travail du savant et la vocation créatrice de l'artiste ? Mary Shelley le donne à entendre : Victor a beau dire, et derrière lui résonner la grande voix de Humphrey Davy, le savant doit se soumettre aux contraintes de la matière qu'il manipule. En l'occurrence, il ne peut opérer que sur de la matière organique morte. Quelle que soit son ambition, Victor ne « créera » donc pas un être vivant au sens où le poète romantique peut se faire gloire de « créer » un personnage. Il ne sera qu'un créateur imparfait. Il fabriquera au mieux un mort vivant, ou un cadavre animé. Dans le roman, l'obstacle se manifeste au demeurant dès l'assemblage des organes : la délicatesse des tissus excède les possibilités techniques de l'étudiant en médecine ; il doit changer d'échelle. Hideux, le monstre sera gigantesque (huit pieds), ce qui contribuera à l'isoler un peu plus du reste de l'humanité.

Le Prométhée d'Hésiode comme celui d'Eschyle pouvait être dit le « bienfaiteur de la race humaine ». Celui de Protagoras vu par Platon déjà laissait l'œuvre dangereusement inaccomplie. Le « Prométhée moderne » de Mary Shelley apparaît comme porteur non du feu de la civilisation, mais de la flamme d'un désir inextinguible à laquelle l'humanité, si elle ne s'en garde, risque de se consumer[1].

1. Il ne fait guère de doute que Jean-Jacques Rousseau (1712-1778), l'auteur des *Confessions,* de *La Nouvelle Héloïse* et de l'*Emile,* ne soit, sur les rives du Lac Léman, très présent à l'esprit de la jeune femme

Ne peut-on ainsi donner au titre un sens parodique et considérer *Frankenstein* comme la dérision de la figure moderne de Prométhée, le héros dont, unis, les artistes de l'*Enlightenment* anglais, les poètes de l'*Aufklärung* allemand et les philosophes des Lumières françaises partageaient le culte ?

Mais le personnage s'enrichit encore d'un nouveau trait qu'on peut dire « moderne ». Pourquoi la « créature » décide-t-elle de se venger de celui qui lui a donné cette invivable vie ? Dans sa bouche haineuse le reproche est violent. Que cet orgueilleux créateur n'ait réussi son ouvrage qu'imparfaitement impose à la « chose » une vie inhumaine, des souffrances indicibles. L'apparence repoussante de sa créature effraye qui la rencontre. Le monstre veut punir Victor de l'avoir abandonné alors qu'il était un « enfant » sans mère, un enfant né tout-grandi, un enfant sans nom qui ne pouvait se découvrir ni instaurer nul lien avec aucun autre être humain bien qu'il en eût la forme, mais difforme. Le drame pourtant se noue en définitive autour d'un autre trait de la situation : la demande insistante du monstre, pathétique puis menaçante, de se voir accorder une compagne qui serait semblable à lui-même. Victor finit par céder.

lorsqu'elle rédige sa « ghost story ». Elle consacrera plus tard une biographie à celui qui écrivit aussi le *Discours sur les sciences et les arts* et les *Rêveries du promeneur solitaire*.

Il prend le chemin brumeux d'une improbable Ecosse et s'installe, tout au Nord, dans « l'une des plus éloignées des îles Orkney ». Il se met à l'œuvre dans la solitude la plus complète, loin de l'Université d'Ingolstadt. Mais il décide soudain de s'interrompre et scelle ainsi son tragique destin comme celui de sa famille, et celui du monstre.

Oublions Pandora, la première femme envoyée sur Terre, d'après Hésiode et ses successeurs, pour punir le crime de Prométhée. Mary Shelley, femme « moderne », mais sans complaisance pour le féminisme de sa mère, ne concevait d'autre vie humaine paisible que dans l'amour partagé d'un couple. En refusant pour finir d'accéder à la demande de sa créature, Victor Frankenstein se condamne à mort[1].

---

1. L'auteur se trouve être une jeune femme, récemment mariée à un adorateur de son père, dont la mère, féministe célèbre, était morte en la mettant au monde après avoir désiré donner naissance à un garçon, que le couple avait décidé d'appeler William comme le père ; une jeune femme dont le mari, renié par son propre père, venait de voir sa première épouse Harriet Westbrook, se suicider... Merveilleux terrain de manœuvres pour exercices de psychanalyse appliquée. Les spécialistes n'ont pas manqué à l'appel ! Pour une interprétation lacanienne, voir David Collings, « The Monster and the Imaginary Mother : A Lacanian Reading of *Frankenstein* », in *Frankenstein* (Londres, Ed. Joanna M. Smith).

La vengeance du monstre

Jean-Jacques Lecercle a cependant très justement attiré l'attention sur l'un des aspects jusque-là négligé de la scène où l'on voit Victor Frankenstein décider de renoncer à la fabrication de la promise. Il découvre subitement que le monstre l'a suivi et retrouvé : la « chose » est là entrain de l'observer par la fenêtre. « Je tremblais et me sentis défaillir, quand, levant les yeux, j'aperçus au clair de lune le démon à ma fenêtre. Un ricanement sinistre rida ses lèvres au moment où il me regarda, alors que je me consacrais à la tâche qu'il m'avait assignée [...] Tandis que je le regardais, sa physionomie exprimait la malice et la traîtrise les plus noires. Je ressentis une sensation de folie en songeant à ma promesse de créer un second être pareil à lui et, tremblant de colère, je déchirais en lambeaux l'œuvre que j'avais commencée. Le misérable me vit détruire la créature dont dépendait le bonheur de sa vie à venir, et disparut en poussant un hurlement de désespoir et de vengeance. »

Victor se voit ainsi lui-même vu par le monstre, lequel se transforme aussitôt à ses yeux en « démon ». Il ne l'a pas vu arriver. Il ne l'a pas entendu s'approcher. Ce regard à travers la vitre le fait changer d'avis. Deux motifs sont suggérés de cette volte-face : Frankenstein prend alors conscience de ce qu'il est en train d'exécuter « la tâche » qui lui a été assignée par sa créature. Il était son maître. Il se voit soudain devenu son esclave. Surtout, « créer un second être pareil à lui », dès lors qu'il s'agit d'une femme, c'est « voir » aussi par avance l'accouplement des deux monstres, et donc se profiler la lignée des créatures qui s'ensuivra. « Si même, ils quittaient l'Europe et allaient se fixer dans les régions inhabitées du Nouveau Monde, l'un des premiers effets de cette sympathie à laquelle le monstre aspirait tant serait de la pousser à procréer. Ainsi, à la longue, pourrait se propager, de là par le monde, une race de créatures diaboliques susceptibles de plonger le genre humain dans la terreur et même, dans un avenir très lointain, de mettre son existence en péril. Avais-je le droit de ne considérer que mon propre intérêt et d'infliger pareille malédiction à des générations futures ? »

Sans ces motifs, on ne comprendrait pas la terreur et la rage de destruction qui s'emparent aussitôt du créateur. Rage et terreur « modernes » que veut susciter Mary Shelley chez son lecteur : celles que l'on doit éprouver quand on voit le savant prométhéen manquer du sens de sa responsabilité, la terreur devant les conséquences imprévues et potentiellement irréversibles de toute tentative pour asservir l'ordre de la nature à des fins humaines qui lui sont étrangères – inspirée comme ici par l'orgueil de savoir d'un individu exalté.

C'est pourtant sous un autre angle qu'on a souvent été tenté d'envisager la modernité du roman. On fait remarquer que ni Dieu ni Satan n'y interviennent, alors même qu'il s'agit d'une faute et de son expiation. A la tonalité religieuse du *Prométhée* d'Eschyle, à l'atmosphère chrétienne du *Faust* de Goethe, s'opposerait la laïcité de ce texte. Mais n'est-ce pas ainsi aller un peu vite en besogne ?

Un nouveau « Paradis perdu » ?

Il convient pour en décider d'accorder, à tout le moins, quelque attention à l'exergue choisie dès l'édition de 1818. Trois vers extraits du *Paradis perdu* du poète anglais John Milton (1608-1674) :

> « Did I request Thee, Maker, from my clay
> To mould me Man, dit I sollicit thee
> From darkness to promote me[1] ? »

---

1. La somptueuse traduction de Chateaubriand donne pour ces trois vers : « T'avais-je requis dans mon argile, O Créateur, de me mouler en homme ? T'ai-je sollicité de me tirer des ténèbres ? » (John Milton, *Le Paradis perdu*. Traduction française chez Gallimard rééd. 1995).

Ce même célèbre poème se trouve constituer, avec la *Vie des hommes illustres* de Plutarque et le *Werther* de Goethe, l'un des livres que, dans le corps du roman, le monstre découvre une nuit dans la forêt à l'intérieur d'une malle abandonnée, lorsque, caché auprès du cottage de la famille De Lacey, il observe et découvre, avec des sentiments mêlés, les réalités de la condition humaine. La créature, se plaignant plus tard amèrement de son état à son « maker », raconte : « Quant au *Paradis perdu*... il provoqua en moi tout l'étonnement et la stupeur que peut susciter l'image d'un dieu en guerre contre ses créatures. Je fus souvent frappé par la similitude de certaines situations avec mon propre cas. Comme Adam, je n'étais apparemment uni par aucun lien à un être quelconque. Mais, dans tous les autres domaines, sa situation était très différente de la mienne. Il était sorti des mains de Dieu, créature parfaite ; il était heureux et ne manquait de rien... Moi, au contraire, j'étais misérable, désemparé et seul. Maintes fois, je fus tenté de considérer Satan comme personnifiant plus exactement ma condition... » Une condition que le monstre juge même pire, en fait, que celle de l'ange déchu, lequel partageait du moins son triste sort avec de nombreux compagnons d'infortune.

Mary aurait-elle enfin trouvé là un point

d'accord avec son illustre père comme avec son flamboyant époux ? Le philosophe avait été l'un des admirateurs les plus fervents de Milton ; le poète, de son côté, dans sa Préface de 1817 avait placé l'ouvrage sous l'emblème du *Paradis perdu* à côté de la « poésie tragique grecque » ainsi que de William Shakespeare (*La Tempête* et *Songe d'une nuit d'été*). Lui-même, présentant son *Prometheus unbound*, donne les clés de son admiration pour le poème de John Milton. Eschyle a eu tort, écrit-il, de prévoir une réconciliation finale entre Zeus et Prométhée. L'intérêt moral de l'histoire serait détruit par un dénouement aussi faible qui verrait le Titan désavouer ses propos et s'incliner devant son puissant et perfide adversaire. De là que dans son propre poème, les souffrances et la fermeté de Prométhée le mènent à la victoire. P. B. Shelley fait alors cette remarque : « Le seul être imaginaire ressemblant à quelque degré à Prométhée est Satan ; mais Prométhée est, à mes yeux, un personnage plus poétique que Satan parce que, outre son courage, sa majesté, sa ferme et constante opposition à l'omnipotence divine, on peut le décrire comme exempt de toute ambition, de toute jalousie ou esprit de vengeance, et comme mû par un désir de surpassement personnel que, dans le héros du *Paradise lost,* viennent parasiter des motifs intéressés [...]. Prométhée est le type de la plus haute perfection morale et intellectuelle, animé par les motifs les plus purs et les plus vrais pour les fins les meilleures et les plus nobles. »

P.B. Shelley n'a pas tort : Satan est bien le véritable héros du poème de John Milton. L'ange déchu a le grand éclat ironique de la pure révolte. Le poète et peintre britannique William Blake (1757-1827) a pu écrire que « Milton sans le savoir avait pris le parti de Satan ». Dieu en effet, en ce *Paradise*, fait pâle figure, coupable d'avoir livré ses créatures à une existence misérable, accusé d'avoir laissé le mal s'installer sur Terre parmi les êtres humains.

Mary Shelley une nouvelle fois, sous le couvert de son exergue, prend fermement ses distances. On voit en effet ensuite le monstre adresser à Victor Frankenstein la complainte même d'Adam à Dieu dans le poème de Milton : « Jour maudit où j'ai reçu la vie ! Exécrable créateur ! Pourquoi avez-vous formé un monstre à ce point hideux que *vous-même* vous détourniez de moi avec dégoût ? » Et encore : « Souviens-toi que je suis ta créature ; je devrais être ton Adam, mais je suis plutôt l'ange déchu, que tu as privé de la félicité sans qu'il ait commis la moindre faute. » Ces plaintes font contraste amer avec les propos exaltés de Victor lui-même qui, dans les premières pages du roman, rêvait à haute voix : « Une nouvelle espèce me bénirait comme son créateur et son origine... Aucun père ne pourrait revendiquer de son enfant une gratitude aussi complète que celle que je mériterais d'eux. »

Victor Frankenstein parce qu'il a voulu, par orgueil et égoïsme, se faire l'égal du Dieu créateur, a réalisé une œuvre satanique. Résultat : lui-même se dit « poursuivi par quelque démon », il se voit « emporter avec soi son enfer éternel », cependant que la créature elle-même toute à sa vengeance désormais « fait du Mal son Dieu » et porte, elle aussi, un enfer en elle-même[1].

Paul A. Cantor a très justement écrit : « *Frankenstein* donne une nouvelle version du *Paradis perdu* comme si celui qui est tombé des cieux et celui qui a créé le monde humain étaient un seul et même être. Dans *Frankenstein*, on ne peut plus parler d'un plan divin de la création qui serait perverti par un être

---

1. Ces formules renvoient mot pour mot au livre premier du *Paradis perdu*. A son compagnon qui se lamente sur leur défaite, Satan répond : « Mais sois assuré de ceci, faire le bien ne sera jamais notre tâche, faire toujours le mal sera notre seul délice, comme étant le contraire de la haute volonté de celui auquel nous résistons. Si donc sa providence cherche à tirer le bien de notre mal, nous devons travailler à pervertir cette fin, et à trouver encore dans le bien les moyens du mal. » Et plus loin l'Archange perdu s'exclame : « Et toi, profond Enfer, reçois ton nouveau possesseur. Il t'apporte un esprit que ne changeront ni le temps ni le lieu. L'esprit est à soi-même sa propre demeure ; il peut faire en soi un Ciel de l'Enfer, un Enfer du Ciel. »

démoniaque ; les plans du personnage créateur chez Mary Shelley sont à la fois divins et démoniaques depuis le début[1]. » Elle n'invite donc point à prendre contre la tyrannie divine le « parti de Satan », même transfiguré en Prométhée. Elle ne chante certes pourtant pas davantage les louanges du Dieu chrétien. Elle donne à entendre que l'ordre de la nature mérite seul le respect. Mais cet ordre, elle le sacralise : il peut indiquer sans équivoque ce qui sépare le bien du mal. Pour l'homme, vouloir l'enfreindre c'est faire « œuvre impie ».

1. Paul A. Cantor, *Creature and creator : mythe making and english romanticism* (Cambridge, Cambridge University Press 1984) p. 105.

Genèses

A première vue la faute de Victor Frankenstein vient de ce qu'il s'est isolé de l'humanité commune pour satisfaire son désir de savoir et de pouvoir. Mais lorsque Robert Walton, ayant médité le récit du naufragé, se décide à rebrousser chemin, le renoncement est plus radical. L'auteur donne à entendre que la science a atteint des limites qu'il serait désormais démoniaque de vouloir franchir. L'esprit de recherche se trouve condamné pour lui-même : c'est à l'exploration du pôle que renonce Walton et à une recherche sur l'origine du magnétisme terrestre. La version moderne de *Prométhée* veut avoir valeur dissuasive.

Homunculi

Du roman, on ne retient cependant pas d'ordinaire cet enseignement général. Toute l'attention se trouve, non sans raisons, focalisée sur la tentative, scientifiquement assistée, de créer artificiellement un être humain. La mise en scène de cette tentative, si originale qu'elle apparaisse dans le texte de Mary Shelley, renvoie en fait en Occident à une longue tradition mythique où se rejoignent chrétiens et juifs et qui plonge ses racines dans l'ancienne Egypte. Dans la culture chrétienne, ce sont les adeptes de la « magie naturelle » qui ont popularisé cette tradition. Aux premiers rangs d'entre eux : le célèbre Paracelse, auteur d'un *De generationibus rerum naturalium* où il défend l'idée antique de la création des « homuncules » et en décrit minutieusement la fabrication[1].

« N'oublions pas, y écrit-il, la génération des homuncules. Car il y a du vrai dans cela, encore qu'il se soit élevé chez certains philosophes de l'Antiquité les doutes les plus graves sur la possibilité que, par nature ou par art, un homme pût être produit en dehors d'un corps de femme et d'une mère naturelle. A quoi je réponds que cela n'est nullement

1. Ce terme sera repris avec un sens évidemment tout différent dans le cadre des théories préformationistes de l'évolution du dix-huitième siècle, notamment par Buffon. Il a la faveur de certains embryologistes du système nerveux comme Alain Prochiantz (cf. *La Biologie dans le boudoir*, O. Jacob, Paris 1995) ou le prix Nobel de médecine Gerald M. Edelman (cf. *Biologie de la conscience*, trad. franç. O. Jacob, Paris 1992).

contraire à l'art spagyrique, mais que cela est au contraire fort possible. Comment cela est-il possible ? Le processus se déroule ainsi : du sperme viril doit être placé dans une cornue fermée, en état de suprême putréfaction, et continuer à se décomposer *in ventre equino* (c'est-à-dire dans un récipient rempli de fumier de cheval), et cela pendant quarante jours ou aussi longtemps qu'il faudra pour qu'il devienne vivant, se meuve et remue, ce qui est aisé à observer. Au bout de ce temps, il aura approximativement l'apparence d'un homme, mais il sera transparent et sans corps. Si ensuite il est habilement nourri chaque jour avec *arcano sanguinis humani* (c'est-à-dire une préparation alchimique rouge désignée par son nom secret) et qu'il est tenu à la température constante *ventris equini*, alors il naît un enfant humain vivant avec tous ses membres, comme chez les enfants de la femme, seulement beaucoup plus petit ; et nous nommons cela un *homunculus* ; et il demande à être élevé ensuite tout comme un autre enfant, avec beaucoup plus de soin et d'application, jusqu'à ce qu'il parvienne à la raison. »

Paracelse ajoute : « C'est là l'un des plus augustes et des plus grands mystères que Dieu ait fait connaître aux hommes mortels et pécheurs. Ces *homunculi*, parvenus à l'âge viril, deviennent des géants ou des nains et autres personnages miraculeux, par qui s'accomplissent des prodiges, qui remportent de grandes victoires sur leurs ennemis et connaissent toutes les choses cachées et secrètes que les autres hommes sont incapables de connaître. Comme ils reçoivent leur vie par artifice, comme par artifice ils reçoivent leur corps, chair, os et sang, ainsi l'art leur est inné, et ils n'ont pas besoin de l'apprendre de personne, mais c'est d'eux qu'il doit être appris. »

Goethe avait été initié à la tradition alchimique dès 1770. Il avait pris connaissance des œuvres de Paracelse, il avait lu B. Valentin et van Helmont ainsi que plus tard les *Noces chimiques de Christian Rose-Croix* de Valentin Andreae (1616) et le volumineux traité de Cornelius Agrippa *De occulta philosophia* (1533). Il n'a jamais cessé de manifester de l'intérêt pour une forme de pensée qui avait à ses yeux le mérite d'affirmer l'unité vivante de la nature, et d'ouvrir à la science la voie d'une réconciliation avec la religion et l'art[1]. Le second Faust porte la trace évidente de ces lectures. L'une des scènes les plus justement célèbres – celle dite du « Laboratoire » – présente la fabrication d'un petit personnage précisément nommé « Homonculus », lequel joue un rôle décisif dans la pièce.

1. Cf. notamment R. Gray, *Goethe, the alchemist* (Cambridge 1952) et le chapitre consacré à Faust du livre déjà cité de Françoise Bonardel.

Cela se passe au deuxième acte. Faust évanoui a été transporté par Méphistophélès dans son vieux laboratoire. Depuis des années, le local est resté en l'état, tel qu'on l'avait découvert au début, encombré de cornues, de fioles et de livres. Le fidèle disciple Wagner – celui qui veut « tout savoir » – est là aussi. Il a vieilli et a entretenu le souvenir pieux de son maître. Devenu une célébrité académique, on le voit qui s'affaire devant le foyer.

La cloche sonne. Une œuvre magnifique est prête à s'accomplir. Méphistophélès à voix basse interroge : « Qu'est-ce ? » Wagner : « Un homme en train de se faire. » Puis, penché sur le foyer : « Cela vient ! Regardez, la masse s'éclaircit. Et ma conviction devient plus sûre aussi. Ce que l'on prétendait secret de la Nature, nous, nous savons l'analyser. Et ce qu'elle organise en chaque créature, nous le ferons cristalliser. »

A Méphistophélès qui l'interroge ironiquement : « Un être humain ? Et quel couple amoureux avez-vous donc enfermé dans la cheminée ? », Wagner répond : « A Dieu ne plaise ! La procréation telle qu'elle était de mode, nous la déclarons une vaine plaisanterie. Le point délicat d'où jaillissait la vie, la douce force qui, agissant de l'intérieur, prenait et donnait, destinée à se créer sa forme, à s'assimiler d'abord les éléments les plus proches puis les plus lointains, tout cela est déchu maintenant de sa dignité ; si l'animal continue à ces choses, l'homme avec ses facultés doit désormais avoir une origine plus haute et plus sublime... »

L'opération maintenant touche au but :

« Cela monte, cela fulgure, cela s'agglomère,
A l'instant tout sera fini
Une grande entreprise paraît folle au début ;
Mais nous voulons désormais nous rire du hasard
Et le cerveau destiné à penser supérieurement
Doit désormais être créé par un penseur ».

Voici la fiole extraite du foyer :

« Le cristal tinte sous l'action d'une force aimable.
Cela se trouble, cela se clarifie ; donc cela doit
                                          [naître.
Je vois, sous une forme gracieuse, se présenter un
                                          [gentil petit homme.
Que voulons-nous, qu'est-ce que le monde
                                          [pourrait vouloir de plus ? »

Triomphe de la science rationnelle, dont Wagner apparaît un militant ? Goethe sème dans son texte suffisamment d'indications pour qu'on ne se satisfasse pas d'une telle interprétation. Méphistophéles indique, par exemple, au passage qu'il est « homme à hâter cette entreprise ». Et la scène se termine par deux vers très célèbres. Le Diable s'élançant à la suite d'Homunculus prend les spectateurs à témoin : « Au bout du compte, nous finissons tous par dépendre des créatures que nous avons faites. »

Le curieux petit personnage va entraîner Faust dans la « Nuit de Walpurgis classique », à la rencontre de Thalès et d'Anaxagore aussi bien que de Protée ou de Chiron. Méphisto s'avoue déconcerté de cette atmosphère lumineuse et méditerranéenne. Diable du Nord, il ne se sent à l'aise que dans les ténèbres ! Il suit néanmoins. Mais, Wagner a beau se faire gloire de son exploit, Homunculus n'est guère qu'une lueur toute spirituelle – une « entéléchie », dira Goethe dans sa correspondance – qui reste enfermée dans sa fiole. Il s'en plaint à Méphisto :

« De lieux en lieux je flotte, me promène
Et voudrais naître enfin de la bonne façon
Prêt à briser ce verre, à mon impatience... »

Protée à sa vue s'exclame :

« Un petit nain qui luit ! Je n'en ai jamais vu »

Thalès se fera aussitôt son interprète : le petit être n'est, en vérité, qu'à demi-né. Et « Il demande conseil pour naître à l'existence... Le cristal seulement à nos yeux le révèle Mais il voudrait bien prendre forme corporelle ».

Une fin très funeste lui est réservée. On le voit en effet s'enflammer d'amour pour la fille de Nérée, la Nymphe Galatée, et venir, de passion, se fracasser contre son trône !

Le « monstre » de Mary Shelley, il faut l'avouer, ne ressemble guère au malicieux « homunculus » de Faust. Loin de se manifester comme une minuscule, pure et fragile flamme de l'esprit, son être gigantesque est, si l'on peut dire, surchargé de chairs mal assemblées ; s'il n'est pas dénué d'intelligence, et s'il apprend à parler, ce n'est pas l'agilité d'esprit qui le caractérise. Mais voici la différence la plus notable : « homunculus », s'il se plaint de sa condition tout autant que la créature de Victor, reste serviable et enjoué jusqu'à sa disparition brutale. Le monstre désespéré se dresse contre son créateur. A la tradition hermétiste de la création des homuncules, Mary Shelley en conjoint une autre qui a une tout autre origine : la légende de l'apprenti sorcier.

L'apprenti sorcier

Son origine remonte à une fable figurant dans une œuvre (*L'Amoureux des mensonges*, en grec : « *Philopseudès* ») de Lucien de Samosate, le maître du dialogue satirique dans l'Athènes de la fin du deuxième siècle[1]. Paradoxe : cette œuvre est consacrée

1. On sait que Goethe en avait lu la traduction en allemand parue en 1788.

à dénoncer avec virulence la crédulité de ceux qui croient aux puissances surnaturelles. « Pourquoi donc, demande Tychiades, existe-t-il des hommes qui aiment les mensonges, alors même qu'ils n'y ont aucun intérêt personnel ? »

Passe encore lorsqu'il s'agit de poètes ou du culte des cités. On peut leur pardonner de raconter leurs histoires de Gorgones ou de Cyclopes. On laissera les Crétois se donner le ridicule d'organiser la visite de la tombe de Zeus ou encore les Athéniens se complaire à raconter la naissance des premiers hommes dans des légumes... Ce genre de fables attire les étrangers et nourrit les guides ! Mais que des gens parfaitement raisonnables s'entretiennent le plus sérieusement du monde d'histoires fabuleuses du même type, comment l'expliquer ? Par exemple, Eucrates est une personne tout à fait digne de confiance, note Philoclès. Âgé de soixante ans, il porte une longue barbe, on le sait grand amateur de philosophie... Or il parle avec admiration et effusion d'un scribe du temple de Memmon, originaire de Memphis, grand connaisseur de la culture des Egyptiens. Et il rapporte que cet homme, du nom de Pancratès (« celui qui peut tout »), a vécu vingt-trois ans dans leurs sanctuaires et y a appris la magie de la déesse Isis. Eucrates, devenu son associé, n'hésite pas à faire un incroyable récit à son sujet.

Lorsqu'au cours de leurs pérégrinations

communes ils faisaient halte, cet homme, raconte-t-il, avait l'habitude de s'emparer de la barre de bois *(mochlos)* de la porte ou d'un manche à balai, de le couvrir d'un vêtement, de prononcer quelques paroles magiques et de le faire ainsi marcher en lui ayant conféré toute l'apparence d'un être humain. Le bâton ainsi traité se muait en parfait serviteur; il allait chercher de l'eau, il faisait des provisions, il préparait les repas... Puis, une fois le service terminé, d'une autre formule le maître retransformait le balai en balai. Eucrates, jaloux de ce pouvoir extraordinaire, épie Pancratès et parvient un beau jour à entendre les trois syllabes qu'il prononce. A son tour, le voilà qui transforme le balai en serviteur, et lui donne ordre d'aller chercher de l'eau. Mais lorsque, ayant été servi, il veut que le balai retourne à son état premier, il n'y parvient pas. Le serviteur-balai continue son office. Bientôt la maison est inondée. Eucrates le casse alors en deux. Il se retrouve avec deux serviteurs qui versent deux fois plus d'eau ! Seul Pancratès, qui connaît la formule, met un terme à la situation... Lucien n'en peut plus : « Est-ce que vous n'allez pas cesser de débiter ce genre de niaiseries ? N'est-ce pas une honte à votre âge ? » A tout le moins vaudrait-il mieux ne pas les raconter devant des jeunes gens qui risquent de s'en trouver emplis de craintes et impressionnés par des fictions pour le restant de leurs jours.

Lucien voulait que cette fable qui ridiculise la crédulité des superstitieux les libérât de craintes sans fondements. Il aurait certainement été surpris de la voir servir à transformer le Golem en instrument d'épouvante et à introduire la terreur à l'horizon de la recherche dans le monde occidental.

Lorsque cela se produisit, cette légende venait d'être ravivée précisément par Goethe dans l'une de ses plus célèbres ballades, publiée en 1798[1] dans le *Musenalmanach* de Friedrich von Schiller (1759-1805). Le texte, très fidèle à l'original, vaut essentiellement pour son rythme : celui de la joie puis de la terreur qui saisit l'apprenti ; c'est ce rythme qui retiendra l'attention du très rigoureux compositeur français Paul Dukas (1865-1935) un siècle plus tard, avant que Walt Disney (1901-1966) ne s'en empare...

Le vieux maître s'est éloigné. Le valet a tout observé : ses paroles, ses pratiques, les rites. Il va pouvoir, par la force de son esprit, lui aussi, accomplir des miracles. On le voit transformer un vieux balai en une sorte de mécanique humaine parfaitement docile :

« Et maintenant, vieux balai, viens !
Revêts ces mauvais haillons !
Depuis longtemps déjà tu es valet ;

1. *Ballades de Goethe*, p. 124-125. Der Zauberlehrling. L'Apprenti sorcier (trad. franç. Léon Mis, Aubier Montaigne, Paris 1944).

exécute maintenant ma volonté !
Tiens-toi debout sur deux jambes ;
qu'en haut soit une tête !
Hâte-toi maintenant, et pars avec la cruche !

Mais voici qu'il a oublié le mot. Les cruches se succèdent, et inondent tout. Le valet, pris de panique, brise le balai en deux morceaux. Chacun de ces morceaux s'anime à son tour. Seul le retour du maître le sauve de la catastrophe :

« Ah ! voici le maître !
Seigneur, ma détresse est grande.
Les esprits que j'ai évoqués
je ne puis m'en délivrer ! »

On a beaucoup discuté du sens à donner à cette ballade. Goethe visait-il allégoriquement les mauvais poètes, comme le pensa aussitôt méchamment Madame de Staël (1766-1817), ou les meneurs, incapables et imprudents, des soulèvements populaires ? La leçon a-t-elle une portée plus générale ? Elle signifierait qu'on risque toujours gros à jouer au maître quand on n'est qu'un apprenti... Que chacun donc, à la place que lui a assignée le destin, joue son rôle sans se laisser emporter par l'orgueil ou l'ambition.

Mary Shelley, dans *Frankenstein*, joue des effets de terreur provoqués par un risque de ce type : celui que couraient les savants modernes en déchaînant des forces qui leur échapperaient et se retourneraient non seulement contre eux mais contre l'humanité même.

Histoires du Golem

Le rapport américain[1] cité par Henri Atlan sur les dangers des recherches portant sur le génome humain fait référence au conte de l'apprenti sorcier aussi bien qu'à Frankenstein. Il en rapproche la figure non de l'homunculus, mais du Golem de la tradition juive. De ce Golem, on peut retenir la définition classique formulée par le philosophe Gershom Scholem (1897-1982) : « Le Golem est une créature ou plutôt un être humain fabriqué artificiellement grâce à un procédé magique faisant appel aux saints noms de Dieu. » Le grand érudit ajoutait : « La conception selon laquelle il serait possible de créer des êtres vivants de cette manière se retrouve à travers les doctrines magiques d'un grand nombre de peuples. L'exemple le plus connu est celui des idoles et des images auxquelles les Anciens prétendaient avoir conféré le pouvoir de la parole. Chez les Grecs et les Arabes, ces acti-

1. Voir la Préface de la traduction française de l'ouvrage de Moshe Idel sur *Le Golem* (Editions du Cerf, Paris 1992).

vités sont parfois mises en rapport avec des spéculations astrologiques qui consistent à capter la spiritualité des étoiles et à l'insuffler à des créatures sublunaires. Toutefois, le développement de l'idée du Golem dans le judaïsme est indépendant de l'astrologie, cette idée est davantage liée à l'exégèse magique du *Sefer Yetsirah* et à des conceptions qui admettent le pouvoir créatif du langage et des lettres[1]. »

Si complexe et même embrouillée qu'apparaisse l'histoire de la notion et si controversée que soit aujourd'hui l'interprétation mystique des textes que donne Scholem lui-même[2], elle met parfaitement en lumière ce qui est en cause : l'*imitation de l'activité divine*. Imitation parfaitement licite aux yeux de la kabbale juive : si la création divine repose sur une combinaison des noms, les maîtres de la science des noms pouvaient avoir un contact créatif avec la divinité par la création d'un Golem. Que cette vue, intégrée à la mystique juive, ait constitué le cœur d'une légende populaire en Europe centrale, que l'on ait attribué à tort au rabbi Loew – dit le Maharal – de Prague la création effective d'un Golem témoigne du désir des sages d'affirmer la supériorité de la science juive sur la magie

1. Gershom Scholem, *On the Kabbalah and Its Symbolism* (New York, 1969).
2. Moshe Idel, *op. cit.*

chrétienne[1] au moment où celle-ci connaissait une expansion et une notoriété considérables.

L'idée que l'anthropoïde ainsi fabriqué pût s'avérer dangereux pour ses créateurs se trouve inscrite dans le récit qui concerne le Maharal. L'acte de création associe deux éléments : la terre et les lettres de l'alphabet hébreu, particulièrement celles qui composent le nom ineffable (Iod, Hé, Vav, Hé). La légende connaît de nombreuses variantes. Toutes cependant s'accordent à dire que le secret de la vie physique du Golem réside dans un signe métaphysique que le rabbi lui a imposé sur le front. Ici intervient, de façon décisive, un jeu sur les lettres. Trois d'entre elles constituent ce signe qui se lit EMET, soit Vérité. Or il suffit d'enlever la première lettre (le Aleph) – signifiant l'Unité – pour que le mot signifie Mort. André Neher commente superbement : « Le signe que le Golem porte sur le front affirme, dès lors, l'ambivalence de son être, unifié et vivant dès lors qu'il est porteur du mot-signe entier ; déchiré et mort, dès lors que le mot-signe est mutilé[2]. » Le Maharal, dit-on, utilise le Golem comme son

1. Telle est la thèse magistralement argumentée de Moshe Idel.
2. André Neher, *Faust et le Maharal de Prague. Le mythe et le réel* (PUF, Paris 1987) et aussi *Le Puits de l'exil, la théologie dialectique du Maharal de Prague* (Albin Michel, Paris 1966).

serviteur pendant les six jours de la semaine. Dès l'approche du Shabbat, le jour du repos hebdomadaire consacré à Dieu, il enlève au Golem la première lettre de son signe. Le Golem reste inerte pendant les vingt-quatre heures du repos institué.

Le Maharal aurait, un vendredi soir, oublié d'effectuer ce geste : le Golem se serait alors transformé en anti-Golem. Le samedi matin, on aurait informé le rabbi à la synagogue, que le Golem était déchaîné et qu'il détruisait tout. Ici la légende prend deux voies distinctes. Selon les uns, le Maharal, non sans difficulté, aurait réussi à maîtriser son Golem. Ayant médité sur la catastrophe qui avait failli se produire, il l'aurait ensuite détruit. Une autre version de la légende raconte que le Maharal a en réalité créé son Golem pour protéger la communauté menacée par un pogrom. Après avoir mis les ennemis des juifs en déroute, le Golem se serait retourné contre eux. En tout état de cause, un trait de la légende apparaît très tardif : celui de l'inquiétude du créateur du Golem face à sa créature. Il semble qu'il n'en soit pas fait mention avant la fin du dix-huitième siècle. Et l'on a de bonnes raisons de penser qu'il s'agirait d'un emprunt au thème de... l'apprenti sorcier ! L'idée que l'*imitation* de l'acte divin de la création de l'homme soit la faute la plus grave proviendrait de l'interprétation chrétienne de l'Ancien Testament. Si les pratiques magiques de Paracelse et des émules adeptes de la kabbale chrétienne supposent quelque pacte avec le diable, la création du Golem dans la tradition juive n'y faisait aucune référence : elle se situe dans le cadre de l'Alliance avec Dieu.

Autant dire qu'on ne saurait en définitive donner tout leur sens à ces scènes mythiques d'animation de figures humaines sans se référer au texte qui constitue leur référence commune, le texte biblique.

Adam, Eve et le serpent

On sait que le texte de la Genèse comporte deux récits successifs de la Création de l'Homme. Selon le premier (Genèse I, 26-31) c'est au sixième jour qu'Elohim dit : « Faisons l'homme à notre image et ressemblance ! Qu'ils aient autorité sur les poissons de la mer et sur les oiseaux des cieux, sur les bestiaux, sur toutes les bêtes sauvages et sur tous les reptiles qui rampent sur terre ! Elohim créa donc l'homme à son image, à l'image d'Elohim il le créa. Il les créa mâle et femelle[1]. » L'homme apparaît ainsi comme le

1. On s'est appuyé sur ce texte pour voir dans ce premier être créé un androgyne (« mâle et femelle »). Ceux qui refusent cette interprétation soulignent le suffixe pluriel dans « il *les* créa mâle et femelle », in *La*

couronnement de l'œuvre divine ; il reçoit autorité sur toute créature animée. Le deuxième récit (Genèse II, 5-14) est sensiblement différent. Il présente la création du premier homme avec de la poussière provenant du sol (d'où son nom : adâmâh) : « Alors Yahvé-Elohim forma l'homme, poussière provenant du sol, et il insuffla en ses narines une haleine de vie et l'homme devint âme vivante. Yahvé-Elohim planta un jardin en Eden, à l'Orient, et il y plaça l'homme qu'il avait formé. »

Pourquoi tous les malheurs liés à la condition humaine, sinon comme punition d'un acte par lequel l'homme avait voulu abolir la distance entre lui-même et Dieu ? Il avait voulu « devenir semblable à Dieu ». Que dit le serpent – « le plus rusé des animaux sauvages que Yahvé-Elohim avait faits » – à la femme pour la convaincre de goûter à l'Arbre de la connaissance du Bien et du Mal ? « Mais non ! Vous ne mourrez pas du tout ! Seulement, Yahvé-Elohim sait bien que lorsque vous en mangerez, vos yeux s'ouvriront et vous serez comme les dieux capables de discerner le bien et le mal ! » En un sens il a dit vrai : les voici aussitôt capables d'un tel discernement. A peine ont-ils goûté au fruit, avant même que Yahvé-Elohim ne s'en soit aperçu, ils décou-

Bible, Ancien Testament (Bibliothèque de la Pléiade/ Gallimard, tome I, Paris 1959), p. 5 note 26-28.

vrent qu'ils sont nus. Ils cousent des feuilles de figuier et se font des ceintures. Ils se cachent. Yahvé-Elohim interpelle l'Homme : « Où es-tu ? » Réponse : « J'ai entendu le bruit (de) Tes (pas) dans le Jardin, et j'ai eu peur, parce que je suis nu. Aussi je me suis caché ! » Le Seigneur comprend tout de suite : « Mais qui donc t'a expliqué que tu étais nu ? Aurais-tu mangé de (cet) Arbre dont je t'avais interdit de manger ? »[1]

Ce drame originel présente une structure beaucoup plus complexe qu'on ne le pense d'ordinaire. A la fin du second récit de la création intervient celui de la femme à partir de la côte d'Adam plongé par Yahvé-Elohim dans une profonde torpeur. L'homme dit : « Cette fois, celle-ci est l'os de mes os et la chair de ma chair. Celle-ci, on l'appellera Femme parce que d'un homme celle-ci a été prise. C'est pourquoi l'homme laissera son père et sa mère, s'attachera à sa femme et ils deviendront une seule chair. » Le texte ajoute : « Or tous deux étaient nus, l'homme et sa femme, et ils n'en avaient point honte. » La connaissance du bien et du mal se manifeste par l'apparition immédiate de cette honte, par la conscience d'un *mal* lié au sexe, et cela avant même qu'ils n'aient été chassés du Jardin.

1. Voir les remarques de Jean Bottéro dans la *Naissance de Dieu. La Bible et l'historien* (Gallimard, Paris 1992).

Yahvé maudit le Serpent condamné désormais à ramper – « marcher sur son ventre » – et à se nourrir de terre toute sa vie ; il annonce à la Femme les douleurs qu'elle subira (celles de l'enfantement et celles de la tyrannie de l'homme). A l'Homme, il distribue son lot : la terre, maudite à cause de lui, ne lui offrira plus que « ronces et épines » ; l'Homme devra suer pour lui arracher de quoi faire son pain. Et cette peine durera pour chacun jusqu'à son retour à la Terre ; « puisque, lui dit Yahvé, (c'est) d'elle (que) tu as été tiré ».

Vient le moment décisif où le texte rappelle qu'il y avait au milieu du Jardin non pas un, mais *deux* arbres interdits : « Yahvé-Elohim (se) dit alors : "Voici (donc) l'Homme devenu comme l'un d'entre nous pour ce qui est de discerner le bien et le mal. Pourvu que désormais il n'aille pas plus loin, qu'il ne prenne, en sus, de l'Arbre-de-Vie, n'en mange et ne vive à jamais !" Aussi le chassa-t-il du Jardin d'Eden, pour cultiver le sol dont il avait été tiré. »

Mais pourquoi donc Yahvé prend-il peur (« pourvu que... ») ? La réponse à cette question ne tient-elle pas tout entière dans la surprenante réplique de l'Homme à la malédiction dont il vient d'être la cible ? « Oui ! avait conclu Yahvé dans son courroux, tu es poussière, et poussière tu redeviendras ! » Loin de s'en montrer accablé ou de se reconnaître fautif, l'Homme, est-il écrit, sans transition, « donna à sa Femme le nom de Hawwa : car c'est la Mère de tous les vivants (Haw) ! » On ne saurait mieux montrer que l'Homme ne renonce pas au fruit de l'arbre de vie. A l'évocation de la mort comme destruction, il oppose celle du renouvellement de la vie par la procréation. De là le souci de Yahvé-Elohim : s'il reste désormais dans le Jardin, l'Homme n'aura pas besoin de l'incitation de la Femme ou du Serpent pour « aller plus loin » et « prendre de l'Arbre de Vie » ! Mais alors il se soustraira à l'essentiel de la punition qui vient de lui être par deux fois signifiée.

La condition humaine est déplorable ? Nous devons l'imputer, dit la *Genèse*, à la faute du premier couple humain, lequel par désir de s'égaler à Dieu a découvert, inscrite dans sa nature, sa propre propension au Mal. Par le même désir impie, les descendants de ce couple ne continueront-ils à souhaiter goûter au deuxième arbre – celui de la vie – en dépit de la garde flamboyante et redoutable postée à l'entrée du Jardin par Yahvé ?

Exégèses

Etrange destinée que celle qu'a réservée au fils de Japet la pensée occidentale moderne ! On aura vu ses poètes, ses artistes, ses penseurs s'enflammer pour lui. Le supplicié n'avait-il pas en définitive vaincu l'acharnement d'un Dieu ennemi du genre humain ? Symbole des esprits forts qui ne craignent pas d'affronter les superstitions, héros d'un athéisme conçu comme condition des progrès du savoir, tel se présente le Prométhée des Lumières – celui de Lessing, Shelley ou Byron. La génération de ceux qui ont contribué à introduire l'adjectif « prométhéen » dans la langue française (Michelet, Quinet, Hugo...) pour caractériser une personne ou qualifier une entreprise salue et exalte encore en lui le goût du dépassement de soi et la foi dans la grandeur humaine.

Nietzsche face à Prométhée

Le jeune Goethe jouait sur le même registre dans la pièce qu'il laissa inachevée en 1773-1774. Le monologue qui en fut extrait et publié non sans retentissement par Friedrich H. Jacobi (1743-1819) en pleine « querelle du panthéisme »[1] voit le Titan lancer à Zeus : « Moi t'honorer ? A quel titre ? » A la fin de l'Acte III, il répliquait à Mercure qui lui reprochait son irrespect : « Des dieux ? Je ne suis pas un dieu, et je prétends valoir n'importe lequel d'entre eux. » Le même Goethe revenant, bien plus tard (1814), sur le rôle qu'a pu jouer la figure de Prométhée dans sa pensée, fait ce récit : « La commune destinée humaine que nous portons tous doit être plus lourde à ceux dont les facultés intellectuelles sont plus précoces et plus amples dans leur développement... Finalement l'homme est toujours forcé de se replier sur lui-même. J'avais souvent éprouvé, dès le bas âge, que dans les instants les plus difficiles, on nous crie : "Médecin, guéris-toi toi-même !" ; et que de fois n'ai-je pas dû me dire, avec un soupir douloureux : "Je foule seul le pressoir !" » Sans aucun souci

1. Il s'agit des *Lettres sur la doctrine de Spinoza* (1re édition 1785. 2e édition 1789) par lesquelles Jacobi a acquis l'essentiel de sa célébrité : il y avance une interprétation non pas athée mais mystique de Spinoza – celle qui sera reprise par tous les romantiques allemands.

de fausse modestie, le sage de Weimar poursuit : « En songeant aux moyens d'assurer mon indépendance, le talent fécond que je possédais m'en parut la garantie la plus certaine. Depuis quelques années, il ne m'abandonnait pas un seul instant... Réfléchissant sur ce don naturel, qui m'appartenait en propre, et que rien du dehors ne pouvait ni favoriser ni contrarier, je me plaisais à fonder sur lui toute mon existence. Cette idée se changea en une image ; une vieille figure mythologique me frappa, celle de Prométhée, qui, séparé des dieux, peuple tout un monde du fond de son atelier. Je sentais qu'on ne peut produire rien de remarquable qu'en s'isolant. Mes ouvrages qui avaient obtenu tant de succès étaient des enfants de la solitude. »

Ainsi commencent à se composer les traits du Prométhée romantique. Sa solitude subit un transfert : de la punition vers le crime. Et du crime à la création. Le sens de ses souffrances se déplace du même coup : elles n'accusent plus les excès de Zeus ; elles ne sanctionnent plus même la fourberie du Titan, elles prennent valeur héroïque comme prix à payer par un être d'exception au bénéfice d'une œuvre qui dépasse la commune mesure. Un mouvement de bascule peut alors s'amorcer pour intégrer le mythe de Prométhée dans le monde chrétien, par valorisation morale de la souffrance. A ce mouvement, le jeune Friedrich Nietzsche (1844-1900) se révèle sensible au moment où il rédige ce livre « étrange et abrupt » qu'est *La Naissance de la tragédie*[1] (1871). Il tente de s'y opposer. La tragédie attique réalise l'union conflictuelle entre l'apollinisme – souverain dans l'architecture grecque – et le dionysisme – triomphant dans la musique. D'un côté, l'ordre et la mesure réglés par un fort principe d'individuation ; de l'autre, la puissance, l'ivresse et l'extase à l'unisson de la nature entière. Deux noms brillent d'un éclat sans pareil en cette aurore : Sophocle et Eschyle. Euripide, ce sera déjà la décadence. Mais de Sophocle, une pièce surtout montre comment l'apollinisme peut dominer ce genre théâtral nouveau : Œdipe à Colone. « Devant le vieillard atteint par l'excès du malheur et livré *passivement* à tout ce qui lui advient, une sérénité supraterrestre vient à nous, descendant d'une sphère divine, et nous indique que le héros, dans son attitude purement passive, atteint à une activité suprême dont les effets dureront bien au-delà de la vie. »

1. Dans un essai d'autocritique rédigé en 1886, Nietzsche porte un jugement très sévère sur son ouvrage (« je ne tairai pas à quel point il me déplaît à présent, combien il m'est devenu étranger après seize années écoulées... »). Et il ajoutait : « C'est *contre* la morale que s'est tourné mon instinct dans ce livre scabreux, un instinct qui a inventé une doctrine diamétralement opposée, une appréciation inverse de la vie, une appréciation purement artiste et *anti-chrétienne.* »

D'Eschyle, le jeune philologue retient par contraste la « gloire de l'activité » qui auréole *Prométhée*. Nietzsche oppose à Œdipe le personnage du Titan résolument dionysiaque. Viennent immédiatement sous sa plume les vers du jeune Goethe, les « paroles audacieuses de son Prométhée » : « Me voici. Je pétris des hommes A mon image, Une race qui me ressemble, faite pour souffrir, pour pleurer, pour goûter le plaisir et la joie Et pour te mépriser comme moi ! »

On reconnaît le Prométhée des Lumières en personne : « L'homme magnifié jusqu'à l'existence titanesque conquiert de haute lutte la civilisation et force les dieux à entrer dans son alliance, parce qu'en vertu de cette sagesse qu'il ne doit qu'à lui-même, il dispose de l'existence et des limites de ces dieux[1]. » Mais Nietzsche, qui lit Eschyle en pensant à Goethe[2], en vient à l'essentiel. A ses yeux, le

1. *La Naissance de la tragédie* (trad. franç. Idées/Gallimard, Paris 1949) p. 68.
2. Nietzsche qui, dans cet ouvrage, ne pratique pas la citation en bas de page renvoie deux fois avec précision au Faust de Goethe au cours des quelques paragraphes consacrés à la pièce d'Eschyle ; il surimpose sans médiation l'image de Faust à celle de Prométhée. « Ainsi la dualité foncière du *Prométhée* d'Eschyle, sa nature à la fois dionysiaque et apollinienne, pourrait s'exprimer dans cette formule abstraite : Tout ce qui existe est juste et injuste, et justifié dans les deux cas. » « Voilà ton monde ! Et c'est ce qu'on appelle un monde ! » (Faust, vers 409).

plus miraculeux tient à la tension qui anime la pièce, opposant à cet indéniable et virulent « hymne l'impiété » une « profonde aspiration à la justice » qui se tourne vers les Dieux. Suit l'élucidation de ce miracle : ce qu'Eschyle a mis en scène, sous le nom de Prométhée, ce serait la figure symbolique de l'« artiste grec ». Le Prométhée d'Eschyle, écrit Nietzsche, « symbolise » le sentiment que celui-ci éprouvait d'une « parenté obscure à l'égard des divinités ». Il poursuit : « L'artiste titanesque trouvait en soi l'orgueilleuse présomption de pouvoir créer des hommes, en vertu de sa sagesse supérieure, qu'il devait, à vrai dire, expier par un martyre éternel ; l'âpre orgueil de l'*artiste* tel est le contenu et l'âme du poème d'Eschyle. » Il ne s'agit donc plus seulement de l'artiste *grec*. Nietzsche écrit pour Richard Wagner (1813-1883)[1] et, sans encore se l'avouer, pour lui-même. Il célèbre avec Eschyle le plaisir qui s'attache à créer des « édifices de nuées célestes » et à défier ainsi tous les désastres. Sous l'apparente sérénité apollinienne de la création artistique, Eschyle laisse entrevoir (mais, écrit

1. La dédicace du livre est explicite : « Je me représente, mon ami vénéré, le moment où vous recevez mon livre. Je vous vois au retour de quelque promenade dans la neige, un soir d'hiver, contempler le *Prométhée délivré* de la vignette, lisant mon nom, et persuadé aussitôt que, quel que soit le contenu de cet écrit, l'auteur a des choses graves et impressionnantes à dire... ».

Nietzsche, sans le sonder) un « surprenant abîme de terreur ».

Le mythe de Prométhée, envisagé à l'état brut, révèle le ressort de cette terreur pour peu qu'on ait le courage de scruter son « arrière-plan » : « Le bien le plus haut qui puisse échoir à l'humanité, elle ne l'obtient que par un crime dont elle doit assumer les conséquences, c'est-à-dire tout le déluge de douleur et de chagrin que les Immortels offensés infligent – et doivent infliger – à la race humaine. » C'est ici que Nietzsche s'interroge : « Qui sait si ce mythe ne possède pas pour l'âme aryenne la même importance caractéristique que le mythe du péché originel pour l'âme sémitique ? Qui sait s'il n'existe pas entre ces deux mythes une étroite fraternité ? »

Mais tout se passe comme s'il repoussait aussitôt cette idée. Prométhée, décidément, ne sera pas enrôlé dans cette fraternité chrétienne. L'arrière-plan se dévoile en effet : « La valeur hyperbolique qu'une humanité naïve attribue au feu comme au vrai palladium de la civilisation naissante. » Et surtout : « Que l'homme pût disposer librement du feu au lieu de le recevoir simplement comme un présent du ciel, sous forme d'un éclair fulgurant ou de chaleur solaire, l'esprit contemplatif de ces hommes primitifs y a vu un crime, un larcin fait à la divine nature. »

« Idée sublime », conclut Nietzsche, « que le

péché actif est la vertu prométhéenne par excellence. » Le mal humain se trouve ainsi *justifié :* tout à la fois la faute et la douleur qu'elle cause. Idée pour le moins étrangère au christiannisme : la dignité conférée au crime ! Pas de faiblesse ici qui aurait fait « succomber » à la tentation, car l'idée de tentation n'est point grecque, pas plus que celles de chute ou de péché. Un acte héroïque, au contraire – une gloire conquise à jamais. Le « sens profond » de la légende de Prométhée se révélerait ainsi : l'individu titanesque comprend « la nécessité du crime » qui s'impose à lui. Nietzsche, qui cite alors le *Faust* de Goethe, rappelle qu'Atlas dans la mythologie grecque était le frère de Prométhée. Ne soutenait-il pas le monde entier sur ses épaules ? Revenant à l'artiste, il conclut : « Ce besoin titanesque de devenir en quelque sorte l'Atlas de tous les autres hommes et de les soulever de plus en plus haut sur ses larges épaules, de les porter de plus en plus loin, c'est le trait commun au prométhéisme et au dionysisme. » Sous ce rapport, Prométhée ne serait en réalité qu'un masque de Dionysos.

Nietzsche donne plusieurs indications d'où l'on peut tirer que Faust peut être vu, à son tour, comme le masque de Prométhée. Ne célèbre-t-il pas, lui aussi, la « gloire de l'activité » ? Si on le compare à Socrate, dit *La Naissance de la tragédie,* on peut « reconnaître que l'homme moderne commença à pressentir les limites de ce plaisir de connaître enseigné par Socrate et, ballotté sur le vaste océan sauvage du savoir, aspire à retrouver la terre ferme ». Nietzsche conclut : « Le jour où Goethe, parlant de Napoléon, a dit à Ecker-mann : "Oui, mon cher, il y a aussi une pro-ductivité des actes", il a rappelé avec une grâce naïve que l'homme non théorique est devenu pour l'homme moderne une chose incroyable et stupéfiante... »

La naissance de l'homme faustien

Ostwald Spengler[1], dans son maître-livre sur *Le Déclin de l'Occident*[2] a mis en usage

1. Le livre le plus complet sur l'histoire du mot « faustien » est dû à celui qui a écrit sous le nom de Hans Schwerte *Faust und das Faustiche – Ein Kapital Deutscher Ideologie* (Stuttgart, 1951). L'auteur écrit notamment : « En dehors de ses aspects culturels et d'histoire littéraire, le mot *faustien* est devenu un cha-pitre de *l'idéologie allemande*, de la propagande alle-mande, de l'irréalité et de l'escalade allemandes, de la nostalgie et de l'autocritique allemandes, de la conscience allemande et de la perte du monde par l'Allemagne. » Spengler n'est pas l'inventeur de l'expres-sion, puisque Oskar Walzel avait publié en 1908 un ouvrage intitulé *Goethe und das Problem der Faustis-chen Natur* où il regrettait déjà le flou qui entourait l'usage de l'adjectif.
2. Spengler donne ses références : « De Goethe j'emprunte la méthode, de Nietzsche la position des problèmes ; et s'il faut réduire en formule ma position

l'adjectif « faustien » comme catégorie majeure d'une philosophie de l'histoire. Instrument et résultat de la remise en question qu'il propose du schéma qui « exerce sur notre pensée historique un pouvoir absolu[1] » et partage les temps en trois époques : Antiquité – Moyen Age – Temps modernes. A ce schéma, « d'une indigence totale », Spengler oppose les principes d'une « morphologie » comparative qui refuse d'« identifier avec le sens de l'univers l'esprit d'Occident, tel qu'il se reflète dans le cerveau d'un individu occidental ».

L'histoire apparaît ainsi bien plutôt comme le théâtre d'une succession de « formes organiques » scandée par des discontinuités radicales. Ce qui, selon Spengler, anime ces formes, ce sont des cultures – « natures vivantes de rang suprême[2] » qui « croissent dans une noble insouciance de leur but, comme les fleurs des champs ». Chaque culture a ses possibilités propres d'expressions nouvelles, lesquelles « germent, mûris-

par rapport à Nietzsche, je dirai que j'ai changé ses échappées en aperçus. Mais Goethe était, sans s'en douter, un élève de Leibniz dans toutes les modalités de sa pensée. Je sens donc dans le livre, qui est enfin sorti de mes mains à ma propre stupéfaction, quelque chose que j'appellerai avec orgueil, en dépit de la misère et du dégoût de ce temps : une philosophie allemande. »

1. *Le Déclin de l'Occident*, t. I. p. 28.
2. *Ibid.*, p. 33.

sent, se fanent et disparaissent sans retour ». Bref, l'histoire apparaît comme une « éternelle formation et transformation, un devenir et un trépas miraculeux des formes organiques ».

Se référant à la théorie de la plante primaire *(Urfplantz)*[1] de Goethe, Spengler définit la culture comme le « phénomène primaire *(Urphaenomen)* de toute l'histoire passée et future ». Quand toutes les possibilités d'une culture ont été réalisées, on la voit se figer brusquement ; elle se meurt, elle devient civilisation[2]. Tel apparaît le sens de tous les déclins dans l'histoire. Au nombre desquels celui qui s'effectue sous nos yeux : le déclin de l'Occident, dont la culture « faustienne » est déjà « grisonnante »[3]. Cette culture se caractérise par la volonté de dominer l'apparence. C'est elle qui s'est affirmée depuis deux millénaires comme « la plus puissante, la plus véhémente », en tant que « volonté de puissance qui se rit de toutes les limitations temporelles ou spatiales, qui considère précisément l'illimité et l'infini comme constituant ses objectifs spécifiques ». De là l'empire conquis sur les esprits par les « sciences faustiennes » soutenues par cette volonté étran-

1. Cf. *La Métamorphose des plantes* (trad. franç. Triades, Paris 1975).
2. *Le Déclin de l'Occident*, t. I. p. 114.
3. *Ibid.*, p. 159.

gère à la culture antique[1]. Au cœur de ces sciences : un concept inédit d'« expérience » qui désigne désormais une activité de l'esprit[2]. En physique, cette conception de la science a installé un dogme au centre de la théorie moderne : le « *dogme de la force* ». Or, fait remarquer Spengler, « la force est une grandeur mythique qui n'a pas sa source dans l'expérience scientifique, mais dont elle prédétermine au contraire la structure[3] ». Heinrich Hertz (1857-1894) a eu le mérite de vouloir débarrasser la physique du concept de force en général. Mais en proposant de reconstruire la mécanique sur le principe du contact (choc), il n'a fait que voiler la difficulté, laquelle tient au caractère « faustien » des concepts primaires de la physique moderne telle qu'elle est sous-tendue et

1. *Le Déclin de l'Occident*, p. 368 dans le chapitre intitulé « Science faustienne et apollinienne ».

2. « Visiblement, on n'a jamais assez réfléchi à la particularité de ce concept purement faustien. Ce qui le distingue, ce n'est point son antithèse superficielle avec la foi. [...] « Expérience » désigne pour nous une *activité* de l'esprit qui ne se borne pas aux impressions momentanées purement présentes, pour les admettre, reconnaître et classer comme telles, mais qui les recherche et les provoque pour les dominer dans leur présent sensible et les réduire en une unité immense capable de dissoudre leur multiplicité tangible. Ce que nous appelons expérience possède la tendance à passer de *l'individu à l'infini.* »

3. *Le Déclin de l'Occident*, t. I. p. 395.

animée par une culture elle-même faustienne. D'où ce pronostic : l'épuisement, désormais inéluctable, de la physique et plus généralement des sciences modernes[1]. Et cette prophétie : une nouvelle forme de culture va naître, qui sera aussi étrangère à la culture faustienne que celle-ci a pu l'être à la culture apollinienne.

Si Spengler retient de Prométhée le « geste sacrilège » du « voleur de feu », c'est Faust qui se voit attribuer le rôle principal dans sa vision de l'histoire. Dès son âge magicien le monde occidental, cessant de valoriser la contemplation, lui paraît avoir retrouvé l'inspiration du Titan et cultivé les vertus de l'action. Cette culture a connu son apogée avec l'apparition d'un type d'homme qui désormais a voulu « construire soi-même un

---

1. *Le Déclin de l'Occident*, t. 1. p. 400. « La physique occidentale est arrivée très près de ses possibilités intérieures. Le sens dernier de son phénomène historique fut de changer en connaissance conceptuelle le sentiment faustien de la nature et en formes mécaniques d'une science exacte les formes d'une croyance antérieure [...] Jusqu'à la fin du dix-neuvième siècle, tous les pas que fait cette science s'orientent vers une perfection intérieure, une pureté croissante, une intensité et une abondance de l'image dynamique de la nature ; à partir de là, la théorie ayant atteint un suprême degré de clarté, les progrès commencent à avoir une action dissolvante [...] Nous approchons du jour où l'on renoncera définitivement à la possibilité d'une mécanique achevée en soi et sans contradiction. »

monde, être soi-même Dieu » : l'homme faustien.

Résultat ultime d'une inexorable logique : « Ce n'est pas telle parcelle de l'Univers, ni telle autre – comme lorsque Prométhée déroba le feu du Ciel – mais bien l'Univers lui-même, avec son secret de l'énergie, qui est arraché en guise de butin pour être incorporé à notre Culture. »

Et parce que le vol porte ainsi sur le Tout, le péril s'avère extrême, radical : l'homme, infime et fragile partie du Tout, s'expose à être emporté par les conséquences de son propre geste. En toute logique, Spengler interprète le second *Faust* comme porteur d'un optimisme dérisoire : sublime expression de la dernière grande illusion de l'humanité occidentale, devenue trop faible pour comprendre ce qui lui arrive de son propre fait.

Le trait qui unit Faust à Prométhée n'est autre que le culte de l'action. Il dessine ce qui aura été le destin de l'Occident, celui d'une culture de bête de proie qui culmine dans *l'idée de la machine* comme « petit cosmos qui n'obéit plus qu'à la volonté de l'homme ». Idée qu'on peut dire fille du « songe de ces étranges dominicains, comme Petrus Peregrinus, rêvant du *perpetuum mobile* qui aurait arraché à Dieu sa toute-puissance[1] ». Ils n'ont pas cessé d'être victimes de cette ambition ;

1. *Le Déclin de l'Occident*, t. II. p. 461.

ils ont arraché son secret à la divinité pour être eux-mêmes Dieu [...] Mais ils ont dépassé cette limite délicate où le péché commence pour la piété suppliante des autres, et ils moururent de ce Péché, depuis Bacon jusqu'à Giordano Bruno (1548-1600). « La machine est diabolique : ce sentiment n'a cessé d'accompagner la foi authentique », conclut Spengler qui commente les monologues du *Faust* de Goethe en des termes que n'ignorera pas Heidegger : « *Travail* devient le grand mot de la réflexion éthique. Ce mot perd au dix-huitième siècle dans toutes les langues sa signification méprisante. La machine travaille et force l'homme à collaborer. La culture entière est tombée à un degré d'activité qui fait trembler la terre. (...) Cette passion faustienne a changé l'image de la surface du globe. »

Se précisent alors les ressorts de l'ultime tragédie et de son « dernier acte » – l'avènement et la dissolution de la culture machiniste : « Toute haute culture est une tragédie [...] mais le sacrilège du Faustien et son désastre surpassent tous les autres, allant au-delà de tout ce qu'Eschyle ou Shakespeare ont jamais imaginé. *La créature se dresse contre le créateur* [...] Le maître du monde est en train de devenir l'esclave de la Machine qui le force à en passer par où elle veut. Abattu, le triomphateur est traîné à mort par le char. »

L'auteur du *Déclin de l'Occident* met en

garde ses contemporains : qu'ils ne cèdent pas, par lassitude, à quelque « pacifisme dans la lutte contre la Nature ». Et il ajoute pour faire comprendre le sens de cet avertissement : « L'occultisme et le spiritisme, les philosophies hindoues, la curiosité métaphysique sous le manteau chrétien ou païen, qui tous étaient objet de mépris à l'époque de Darwin, voient aujourd'hui leur renouveau. C'est l'esprit de Rome au siècle d'Auguste. » L'humanité pourra-t-elle échapper au cataclysme qui s'annonce ainsi ? Y aurait-il quoi que ce soit à espérer ? Les dernières pages de *L'Homme et la technique*, écrites à Munich en 1931, apportent cette réponse de pure tragédie : « L'espérance est lâcheté. Nous sommes nés à ce temps et devons poursuivre avec vaillance, jusqu'au terme fatal, le chemin qui nous est tracé [...] Tenir, tenir à l'exemple de ce soldat romain dont le squelette a été retrouvé devant une porte de Pompéi et qui, durant l'éruption du Vésuve, mourut à son poste parce qu'on avait omis de venir le relever. »

Le prométhéisme lyrique
de Gaston Bachelard

Nul philosophe contemporain sans doute ne s'est autant que Gaston Bachelard (1884-1962) préoccupé de Prométhée. Dès 1938, dans *La Psychanalyse du feu,* il lui consacre un chapitre – le premier du livre – sous le titre : « Feu et respect, le complexe de Prométhée ». Dans les *Fragments d'une poétique du feu,* ouvrage inachevé publié par Suzanne Bachelard un demi-siècle plus tard (1988), Prométhée succède au Phénix – l'oiseau de feu – et occupe le second chapitre. Ce dernier texte s'inscrit dans le prolongement de la lignée des écrits « poétiques » de l'auteur, inaugurée avec *L'Eau et les rêves* en 1942.

Bachelard n'avait jamais été vraiment satisfait de son premier essai, il entendait en rectifier la tonalité trop sèchement rationaliste. En 1938, il appliquait en effet au cas du feu les concepts essentiels de la « psychanalyse de la connaissance objective » exposés peu auparavant dans *La Formation de l'esprit scientifique :* obstacles épistémologiques, inconscient du scientifique, rupture... Il élargissait au concept de complexe ses libres emprunts à la psychanalyse « classique ». Il en venait à avancer que « le complexe de Prométhée est le complexe d'Œdipe de la vie intellectuelle ». Conformément à ce qui constituait alors sa problématique, Bachelard s'intéressait particulièrement au feu en tant que l'objectivation scientifique du phénomène visé par ce mot l'avait épistémologiquement déclassé : « le feu n'est plus un objet scientifique ». Ce processus n'avait pu, selon lui, s'accomplir qu'en surmontant des obstacles internes à la pensée

tenant à la « valorisation » spontanée, incons-
ciente et sexualisée, du feu, laquelle renvoie à
des expériences affectives de la petite enfance.

« Parmi les phénomènes, écrivait-il, le feu
est vraiment le seul qui puisse recevoir aussi
nettement les deux valorisations contraires :
le bien et le mal. Il brille au Paradis. Il brûle
en Enfer. Il est cuisine et apocalypse. Il est
plaisir pour l'enfant assis sagement près du
foyer ; il punit cependant de toute désobéis-
sance quand on veut jouer de trop près avec
ses flammes. Il est bien-être et il est respect.
C'est un dieu tutélaire et terrible, bon et
mauvais. Il peut se contredire : il est donc
un des principes de l'explication universelle. »
Mais le feu est aussi, de la part des pères, objet
d'interdiction générale. Bachelard présentait
alors Prométhée comme le héros de la « déso-
béissance adroite ». Le « complexe » qui porte
son nom désignait « toutes les tendances qui
nous poussent à savoir autant que nos pères,
plus que nos pères, autant que nos maîtres,
plus que nos maîtres ». Et de commen-
ter : « Seul ce complexe peut nous faire
comprendre l'intérêt que rencontre toujours
la légende, en soi bien pauvre, du père du
Feu. »

On comprend qu'il ait peu après lui-même
jugé bien pauvres ces quelques pages
devenues très célèbres. Ayant tant écrit, et si
magnifiquement, sur les autres éléments –
l'eau, l'air et la terre – il ne se tint jamais pour

quitte à l'égard du feu. Il a ainsi accumulé, pendant deux décennies, des notes, des fiches, des réflexions et des citations sur le quatrième. Si Prométhée continue jusqu'à la fin de sa vie à susciter son interrogation, c'est dans la perspective non plus d'une « psychanalyse », mais dans celle, beaucoup plus ample, d'une « poétique du feu » au sens où il avait pris le mot poétique dans la « poétique de l'espace » (1957) et la « poétique de la rêverie » (1961)[1].

L'essentiel tient en une proposition : « Une homogénéité de l'imaginaire traverse les siècles, preuve pour moi que l'imaginaire tient au fond de la nature humaine. » Du mythe de Prométhée, il retient donc maintenant la « continuité de son organisation » dans sa transmission, laquelle va de pair avec une « adhésion renouvelée aux croyances et aux rites ».

Voici donc Prométhée installé en ce point de contact ou de traverse : « En fait, dans l'ère de culture où nous vivons, chaque homme

---

1. « L'image poétique n'est pas soumise à une poussée. Elle n'est pas l'écho d'un passé. C'est plutôt l'inverse : par l'éclat d'une image, le passé lointain résonne d'échos et l'on ne voit guère à quelle profondeur ces échos vont se répercuter et s'étendre. Dans sa nouveauté, dans son activité, l'image poétique a un être propre, un dynamisme propre. Elle relève d'une ontologie directe... » in *Poétique de l'espace*, Introduction (PUF, Paris 1957).

cultivé centralise, à sa manière, une figure de Prométhée. Mais on n'est jamais au clair sur la position de cette figure centrale. Chacun a son Prométhée. » Bachelard projette une reprise du « complexe de Prométhée », mais « dans la ligne de la Poétique ». Et ce projet prend corps dans les quelques notes qui suivent, grosses d'un débat avec ses propres interprétations antérieures comme avec la vision freudienne du mythe : « Le monde excité du feu. L'engagement dans un monde excessif. Prométhée médité nous met en situation d'activité contrôlée. L'homme qui allume, qui active le feu, travaille à majorer et cependant à maîtriser et à régler les forces du monde. » De là cette conclusion : « Les images prométhéennes poétiques désignent toujours une action psychique qui *surélève* la nature de l'homme. Une esthétique du psychisme, c'est-à-dire une activité qui consolide et dynamise la vie de l'esprit, pourra être placée sous le signe de Prométhée. »

Bachelard s'intéresse particulièrement à la version tardive du mythe selon laquelle le donateur du feu serait aussi « le modeleur qui avec de l'argile fait des hommes ». Réalité onirique que cette double activité de créateur du feu et de créateur de formes : Gérard de Nerval n'a-t-il pas exprimé, dans une page d'*Aurélia*, l'essentiel de cet « acte prométhéen qui vitalise la matière » ? Et formulé cette question : « Ne créerait-on pas aussi des hommes[1] ? » Bachelard commente : « Si l'acte prométhéen ne peut-être réalisé, il peut être rêvé. Le rêve nervalien nous met dans la situation d'un Prométhée qui peut, qui doit affronter le maître des hommes et des choses. Je persiste à exister, donc je continue à créer... à me créer moi-même. »

« Prométhée humain, plus qu'humain », note-t-il d'une sentence de fidélité parodique à Nietzsche, pour nourrir le projet de ce qu'il appelle une esthétique de l'humain : « un prométhéisme diffus s'attache à l'acquisition des connaissances ». Dans tout effort de culture, le « Prométhée de soi-même » est appelé à en vivre activement les grandes figures comme autant de tentatives, ou mieux de tentations, de dépasser sa propre nature.

Le Prométhée du lyrisme dramatique serait ainsi « l'être qui correspond à un besoin de

1. « J'entrai dans un atelier où je vis des ouvriers qui modelaient en glaise un animal énorme de la forme d'un lama, mais qui paraissait devoir être muni de grandes ailes. Ce monstre était comme traversé d'un jet de feu qui l'animait peu à peu, de sorte qu'il se tordait, pénétré par mille filets pourprés, formant les veines et les artères et fécondant pour ainsi dire l'inerte matière, qui se revêtait d'une végétation instantanée d'appendices fibreux d'ailerons et de touffes laineuses. Je m'arrêtai à contempler ce chef-d'œuvre où l'on semblait avoir surpris les secrets de la création divine. "C'est que nous avons ici, me dit-on, le feu primitif qui anima les premiers êtres"... » *Aurelia*, Ed. Corti 1943, p. 44, cité par **Gaston** Bachelard in *Fragments d'une poétique du feu* (PUF, Paris 1988), p. 113.

plus être ». Un *plus qu'homme,* donc. Bachelard s'appuie sur un texte de Goethe emprunté à *Poésie et Vérité* (IIIe partie. 1814) où le Sage de Weimar écrivait : « Les Titans sont l'ombre au tableau dans le polythéisme ; le diable néanmoins, ainsi que le Dieu unique auquel il est opposé, n'est pas une figure poétique. Le Satan de Milton, d'ailleurs assez bien tracé, a le défaut d'accomplir une œuvre subalterne, en essayant de détruire la belle création d'un être suprême ; tandis que Prométhée a le mérite de pouvoir créer et produire en dépit des êtres supérieurs. »

Il est temps alors de revenir sur la question de la ruse qui avait focalisé l'attention de l'épistémologue dans la *Psychanalyse du feu.* De ses lectures ultérieures, il tire cette conclusion : « Le Prométhée rusé apparaît finalement comme une "réduction", la réduction d'un Prométhée complet, d'un Prométhée *poétique.* » Les remarques qu'emprunte Bachelard à Carl Gustav Jung (1875-1961) et aux psychanalystes ne prennent sens que dans la perspective d'une psychologie complète, « sensible à toutes les inversions du réel et de l'imaginaire » : celle qui couvrirait tout le spectre allant des « plus lointains archétypes de l'inconscient collectif jusqu'aux tensions de l'extrême spiritualité individuelle ».

Le philosophe n'acquiesce pas à l'utilitarisme des explications données par l'anthropologue britannique James George Frazer (1854-1941) dans son célèbre livre sur les *Mythes sur l'origine du feu* : « pour dire la valeur humaine du feu, il faut, semble-t-il, parler un autre langage que le langage de l'utilité ». Il ne saurait non plus se satisfaire du tout-venant des interprétations psychanalytiques : « Un psychanalyste aura souvent la tentation de désigner un élan sur-humain comme un trait humain, trop humain. En un tournemain les êtres des sommets sont ramenés à leur origine. » Qu'aurait pensé Bachelard de la très paradoxale interprétation du mythe de Prométhée avancée par Sigmund Freud, s'il avait pu lire le petit article publié en 1932 sur *La Conquête du feu* ? Dans le droit fil de *Malaise dans la civilisation* (1929), Freud ne craint pas en effet d'y présenter Prométhée comme le héros du renoncement pulsionnel. Magnifique exemple de « renversement symbolique dans son contraire », le sens du mythe serait à chercher, non dans le défi aux interdits mais « dans la renonciation au plaisir, de tonalité homosexuelle, d'éteindre (le feu) avec un jet d'urine ». Et pour soutenir ce paradoxe, Freud s'interroge méticuleusement sur le fameux *narthex* dont tous les récits affirment que le Titan s'est servi pour apporter le feu aux mortels. Ne s'agit-il pas très évidemment d'une figuration du pénis ? Or ce n'est point le feu qu'un pénis peut transporter, mais l'urine qui peut au contraire l'éteindre...

L'interprétation se confirme par l'analyse du châtiment infligé à Prométhée. Jean Laplanche a fait remarquer le caractère pour le moins surprenant de l'interprétation freudienne[1]. C'est le foie qui est visé, c'est-à-dire le siège antique des passions et des désirs. Il paraît donc à nouveau cohérent de voir en Prométhée un héros de la transgression pulsionnelle. Or, « c'est l'exact opposé qui est vrai pour le Porteur du feu ; il avait pratiqué la renonciation pulsionnelle, et montré combien bénéfique, mais aussi combien indispensable est cette renonciation pulsionnelle à des fins culturelles ». Pourquoi alors un si dur châtiment ? Parce qu'il exprime « le ressentiment que l'humanité menée par ses pulsions a pu éprouver contre le héros culturel » ! Chacun de nous serait un petit Prométhée, au sens où il doit reparcourir le douloureux chemin d'un tel renoncement[2]...

1. Jean Laplanche. *La Sublimation*, Problématiques III (PUF, Paris 1980), p. 158 et *sq*.

2. Peut-être le personnage de Prométhée met-il ainsi plus que tout autre en évidence ce qui, du classique concept freudien de sublimation, déplaît au philosophe de *L'Eau et les rêves* : la négation du mouvement ascendant, du dynamisme psychique, dont il pense que les œuvres poétiques sont l'occasion. Bachelard plaidait pour un nouveau concept : celui de « sublimation absolue ».

L'imaginaire dans la science

La généalogie de la bioéthique, qui croise ainsi et recroise, selon des perspectives diverses, tant de lignées mythiques liant crime et savoir, soulève une question irritante : celle de la magie et, tout spécialement, de l'alchimie. Les versions positivistes du rationalisme dominant aussi bien que celles du spiritualisme chrétien l'ont obstinément recouverte d'un voile de dénigrement institutionnel et dogmatique. Ne serait-il pas grand temps que philosophes et historiens lui accordent tout l'intérêt qu'elle mérite[1]; qu'ils la prennent au sérieux non pour satisfaire à quelque goût du « new-age », mais pour comprendre l'enracinement de tels mouvements dans la pensée occidentale moderne. Cela revient à prendre la mesure de la tension

1. Les références qui sont données dans les pages qui suivent témoignent d'un puissant renouveau des études sur cette question et celles qui lui sont liées. Elles ne sont évidemment pas exhaustives.

intellectuelle et affective dont témoignent, chacun à sa façon, les personnages de Faust et de Frankenstein, lecteurs des alchimistes.

Ces deux personnages triomphent dans les toutes premières années du dix-neuvième siècle et donnent le spectacle de leur hésitation entre magie et science, même si l'un et l'autre prennent en fin de compte le parti de la seconde, pour le meilleur (Faust) et pour le pire (Frankenstein)! Le siècle des Lumières se clôt sur cette indécision; le siècle du positivisme et du scientisme s'ouvre sur ce vertige. Qu'en est-il donc de la catégorie de « siècle des Lumières », si décisive pour l'histoire des idées comme pour l'histoire politique, et de la brillante unité intellectuelle qu'ont conférée à son objet les penseurs du dix-neuvième siècle? Les meilleurs spécialistes font remarquer ce qui sépare notamment les *Lumières* françaises, de l'*Enlightenment* anglais ou de l'*Aufklärung* en Allemagne : des conceptions distinctes de la science moderne, de son rapport avec son passé aristotélicien, avec la religion comme avec la politique[1]. La religion n'est pas la même selon que l'on se trouve sur les terres de la Réforme ou en pays catholique. La pratique du droit diffère profondément selon qu'elle relève du Common Law ou

1. C'est l'un des thèmes constants de l'œuvre d'Isaiah Berlin. Voir notamment *A contre-courant. Essai sur l'histoire des idées* (trad. franç. Albin Michel, Paris 1988).

de l'héritage romano-canonique. Les historiens savent de surcroît qu'en ce siècle prit aussi son essor le roman noir qui semble miner les idéaux officiels. Les philosophes ne devraient plus pouvoir ignorer que le nom de Sade (1740-1814) y inscrit, en lettres de feu, son écart radical[1]. Il n'y eut, à vrai dire, nulle part de Lumières sans « contre-Lumières », lesquelles ne sauraient se confondre avec les « anti-Lumières ». Non point la persistance d'un obscurantisme entretenu par les prêtres et les despotes, mais, au cœur même des Lumières, la pleine vigueur de doctrines et de pratiques mettant en question la version calculatoire de la rationalité qui s'est alors imposée. La fortune, par exemple, du médecin allemand Franz Anton Mesmer (1734-1815) et du « magnétisme animal » auprès de protagonistes les plus éclairés de la Révolution française ne saurait être tenue sans légèreté pour une simple bizarrerie[2].

Mais restaurer cette tension intellectuelle

1. Les études d'Annie Lebrun sont, en France, celles qui auront fait date. Sur le roman noir notamment : *Les Châteaux de la subversion* (J.J. Pauvert aux Ed. Garnier, Paris 1982).

2. Cf. Robert Darnton, *La Fin des Lumières. Le mesmérisme et la Révolution* (trad. franç. Librairie Académique Perrin, Paris 1984) et *La Pensée scientifique et les parasciences* (Albin Michel/Cité des Sciences et de l'Industrie, Paris 1993).

oblige à repenser l'histoire de la pensée scientifique moderne en ses racines mêmes. Son avènement dans les premières années du dix-septième siècle, si fulgurant qu'il apparaisse, ne s'effectue point sans trouver son élan dans des conceptions et des pratiques appartenant à la « magie naturelle » très puissante au temps de la Renaissance[1]. Johannes Kepler (1571-1630) aussi bien que Giordano Bruno en sont les plus illustres témoins. Encore faut-il distinguer cette magie de celle qu'on dénonce alors comme « noire » ou « démoniaque ». Et c'est un nouveau pan de notre histoire qui se découvre alors : celui des rapports très étroits et ambigus qu'a entretenus le christianisme avec la tradition dite hermétiste comme avec la Kabbale juive depuis Marsile Ficin (1433-1499). On ne saurait nier plus longtemps que les doctrines et pratiques alchimiques du dix-septième siècle aient eu leur rationalité propre[2]. Soixante ans après leur découverte par John Maynard Keynes (1883-1946), comment enfin ne pas tenir compte des manuscrits alchimiques de

1. Frances Yates, *Giordano Bruno et la tradition hermétique* (trad. franç. Dervy-Livres, Paris 1988) et, pour une discussion de son interprétation, Bertrand Levergeois, *Giordano Bruno* (Fayard, Paris 1995).
2. Voir l'ouvrage de Robert Joly, *Rationalité de l'alchimie au dix-septième siècle* (Vrin, Paris 1992) préfacé par Jean-Paul Dumont qui souligne les origines stoïciennes des doctrines alchimiques.

Newton ainsi que de sa correspondance avec le physicien et chimiste irlandais Robert Boyle (1627-1691)[1] ? On ne saurait se satisfaire de considérations psychologiques destinées, si l'on peut dire, à faire la part du feu. Si Newton a, toute sa vie durant, cherché à résoudre par l'alchimie des questions que lui posaient ses recherches en philosophie naturelle, c'est toute la conception de la « science newtonienne » qui doit être réexaminée à cette lumière[2]. L'interprétation positiviste avant la lettre qui en a été officialisée notamment en France par Pierre-Simon Laplace (1749-1827) et qui a fini par s'imposer pendant la première moitié du dix-neuvième siècle ne saurait faire oublier les critiques très virulentes auxquelles elle ne cessa de se heurter en Allemagne de la part de la tradition leibnizienne. Une réévaluation

1. Voir sur ce point le monumental livre de Richard Westfall, *Newton* (trad. franç. Flammarion, Paris 1994) ainsi que Betty F. Tecter Dobbs, *Les Fondements de l'alchimie de Newton ou la chasse au lion vert* (trad. franç. Ed. De la Maisnie/Trédaniel, 1981). Michel Cazenave a publié une excellente mise au point (« La gravitation et l'alchimie de Newton » in *Aries* n° XVII, La table d'émeraude éditeur, 1994) à l'occasion de la publication de l'ouvrage de Loup Verlet intitulé *La Malle de Newton* (Gallimard, Paris 1993) qui lacanisse la fameuse malle.

2. Au centre de ce réexamen : la question de l'« action immédiate à distance », donc du temps et de l'espace absolu, ainsi que les notions de masse et de force.

s'impose de la valeur de l'œuvre scientifique de Goethe et du rôle joué par les « philosophies de la nature » dont Friedrich W. Schelling (1775-1854) a lancé l'idée même dès 1795[1].

La remise en question ne saurait épargner les origines mêmes de la Raison. Le fameux « miracle grec » vu par Ernest Renan (1823-1892) doit être réinterrogé. Pratiques magiques et recherche « rationnelle » d'un ordre des phénomènes coexistent pendant toute l'Antiquité, sans qu'on y assiste au conflit permanent qu'a imaginé le dix-neuvième siècle[2].

On ne saurait se satisfaire de l'état actuel des recherches qui épousent les divisions et sous-divisions des disciplines universitaires – historiens de l'Antiquité, de l'époque élisabéthaine, des religions, historiens des

1. L'impact de la *Naturphilosophie* sur les sciences du vivant au cours du dix-neuvième siècle a été depuis longtemps mis en lumière par Marc Klein dans son ouvrage intitulé *Regards d'un biologiste* (Hermann, Paris 1980). Gilles Châtelet in *Les Enjeux du mobile : Mathématique, physique, philosophie* (Seuil, Paris 1993) a établi ce que les mathématiciens (Grassmann notamment) lui doivent. Voir aussi Georges Gusdorf, *Le Savoir romantique de la nature* (Payot, Paris 1985).

2. G.E.R. Lloyd, *Magie, raison et expérience. Origine et développement de la science grecque* (trad. franç. Flammarion, Paris 1990) ainsi que *La Naissance de la raison en Grèce*, sous la direction de J.F. Mattéi (PUF, Paris 1990).

sciences, de la philosophie... La vision d'ensemble manque.

Ce manque, on peut être tenté de l'imputer à un défaut de communication entre les disciplines. Quitte à invoquer une fois de plus l'arlésienne de nos innombrables colloques : l'« interdisciplinarité ». Il renvoie plus profondément à l'existence d'une question philosophique obstinément refoulée. Cette question dûment posée réunirait dans la lumière de son foyer les recherches dispersées ; elle n'est autre que celle de la réalité à attribuer à l'imaginaire. Elle fait corps avec la conception de la raison qu'a imposée le *rationalisme moderne*.

La version dominante de cette position philosophique a rejeté l'imagination mythique dans les ténèbres de l'« irrationnel[1] » – c'est-à-dire de l'épistémologiquement condamnable. N'a-t-elle pas, à la faveur de ce rejet, imposé tout à la fois une conception étriquée de la connaissance et des positions figées en matière d'éthique ? Il y aurait lieu de rétablir les droits de l'imaginaire en matière de connaissance contre la vulgate empiriste et calculatoire et son apothéose cognitiviste. Et il ne suffit pas de célébrer à cette fin, comme Karl Popper (1902-1994), l'audace des

1. Catégorie moderne de rejet, l'« irrationnel » ne saurait être confondu avec la notion primitive grecque *(alogos)* qu'on traduit souvent ainsi.

grandes conjectures qui ont marqué l'histoire des sciences, en continuant à voir la raison comme une « faculté » dont la structure et les procédures seraient invariables[1] ? Bachelard, pour sa part, écrivait déjà, à la fin des années trente, contre le « rationalisme sec » de certains de ses maîtres, que la raison est « à géométrie variable » et que loin de gouverner les progrès du savoir, elle s'instruit sur eux. Quinze ans plus tard, il se montrait beaucoup plus radical en caractérisant sa position comme « sur-rationaliste ». Ce clin d'œil vers le sur-réalisme avait un sens fort. Le philosophe ne proposait ni de perfectionner le rationalisme, ni de le dépasser. Le surréalisme jouait du langage et de l'imaginaire pour faire apparaître les virtualités du réel que manque le réalisme ; il en va de même du sur-rationalisme vis-à-vis du rationalisme.

1. Au chapitre 24 de *La Société ouverte et ses ennemis* (trad. franç. Seuil, Paris), Popper précise sa notion « large » du rationalisme. Il la définit comme une « attitude pratique », un « comportement » : celui de la disponibilité à écouter les critiques et à apprendre de l'expérience. Une attitude qui se résume dans la formule : « *Il se peut que j'aie tort et que vous ayez raison, et si nous faisons un effort, nous pourrons approcher de la vérité.* » « La raison, écrit Popper, comme le langage, peut être dite un produit de la vie sociale. » Cette position s'affirme antiplatonicienne et prétend enraciner « l'attitude » rationaliste dans la pensée grecque où Popper croit trouver la première figure du conflit éternel entre rationalisme et irrationalisme.

Aux yeux de Bachelard, l'imagination n'est point une faculté parmi d'autres ; à vrai dire, elle n'est point une faculté du tout. Elle constitue l'étoffe de la vie des êtres humains en tant qu'ils se rapportent à eux-mêmes et aux autres par un langage dont les jeux donnent sens à leurs moindres gestes et à leurs silences même. Les grandes images qui, recueillies et élaborées sous forme poétique, invitent ces êtres à toujours s'arracher à eux-mêmes portent-elles la marque mystérieuse de l'appartenance de l'homme au cosmos ? La « racine rêveuse des mots » (Bachelard) relie-t-elle la Terre au Ciel par l'entremise humaine[1] ? Cette question qui fut déjà celle de Goethe et des romantiques allemands ne peut être rejetée d'un revers de main positiviste comme « dénuée de sens ». Aux prises avec un monde dont nous sommes les uns et les autres intégralement partie prenante, nous n'avons jamais conquis de prise sur lui qu'en y faisant l'épreuve de la convenance d'un ordre inventé par nous avec celui dont s'avèrent susceptibles les phénomènes qui nous affectent. Cet ordre, nous le disons « rationnel » pour le contrôle qu'il donne – toujours limité à son échelle propre. Y déchiffrons-nous, comme on le répète depuis plus de trois siècles, dans

1. Bachelard qui a longuement médité les thèses de Jung sur l'Alchimie *(Psychologie et alchimie)* et qui a lu Albert Beguin *(L'Ame romantique et le rêve)* adopte cette vue dans ses livres sur les éléments.

un vocabulaire hérité de la scolastique, « les lois de la nature[1] » ? Ce serait attribuer à notre pensée le pouvoir de se situer à l'extérieur de l'univers pour le dominer du regard. L'épistémologie qui le prétend n'est guère que théologie déguisée, même lorsqu'elle emprunte très laïquement à la logique mathématique ses instruments de pensée et d'exposition. Si la pensée scientifique ne se déploie au contraire que *dans* un monde qui est irréductiblement celui de nos affections – le monde qui affecte nos corps en y suscitant plaisirs et déplaisirs – il faut reconnaître que jamais, si technique soit-elle, elle ne perd le contact avec l'imagination. Le rôle de la philosophie qui se trouve à l'œuvre dans la pensée scientifique se manifeste clairement : elle rend compte de ce que, en deçà des discontinuités qui marquent le progrès des connaissances, se maintiennent des permanences thématiques[2], lesquelles manifestent l'adhérence de toute connaissance au monde des affects qui

1. Le physicien Richard Feynman a fait remarquer ce que cette expression avait de fallacieux. Les lois énoncées par la physique sont des « lois physiques » *(La Nature des lois physiques)*. Gilles Cohen-Tannoudji en adoptant la terminologie gonsethienne de l'horizon va dans le même sens dans son livre sur *Les Constantes universelles* (Hachette, Paris 1991). Cette position ne revient évidemment pas à nier l'existence du monde physique.

2. Voir Gerald Holton, *L'Imagination scientifique* (trad. franç. PUF, Paris 1982).

polarisent l'expérience en fonction de valeurs socialement sanctionnées. Envisagée sous cet angle, la philosophie *des* sciences est constituée par l'*activité* d'exploration des transactions possibles entre les virtualités du réel sollicité par la démarche scientifique et les virtualités des variations susceptibles d'affecter ces ensembles de valeurs.

Ce qui vaut pour l'épistémologie vaut pour l'éthique. Que de théologie déguisée dès lors que l'on croit la pensée humaine capable de s'extraire de son monde ! Dieu étant réputé mort, les philosophes en Occident n'ont cessé d'inventer du transcendant de substitution : la Raison, la Nature, la Science ou l'Histoire[1]. La fonction de la transcendance est toujours de trancher dans l'absolu : ici entre le bien et le mal. Mais parce que la condition humaine consiste à n'entretenir jamais avec l'univers que des rapports dont la réalité est irréductiblement marquée par celle de l'imaginaire, force est de constater que les hommes ont inventé bien des manières d'être des êtres humains. Cette extraordinaire diversité, telle que la décrivent et l'analysent les anthropologues, les historiens et les sociologues, nous déconcerte. Elle nous touche néanmoins toujours, car il ne s'agit jamais que de variations

1. Voir sur ces questions de « Référence », l'œuvre de Pierre Legendre et spécialement *Le Désir politique de Dieu* (Fayard, Paris 1988).

à partir de quelques grandes énigmes aussi simples qu'invariables : le fait pour chacun d'être *né*, celui de devoir *mourir* un jour, deux certitudes absolues qui restent, tout au long d'une vie, les foyers de questions sans réponses ; mais aussi, lié aux précédentes énigmes, le fait de notre identité telle qu'elle est appelée à se constituer dans le jeu de la différence des sexes, à l'ombre aveuglante de nos pères et mères.

Dans quel sens résoudrons-nous ces énigmes ? Telle se présente la question dite « éthique ». Jamais cependant elle ne se pose *in abstracto,* mais toujours sur la base de solutions (règles et normes) préalablement adoptées et éventuellement sanctionnées par la loi. L'expérience de la vie des hommes en société nous enseigne que leur pente la plus ordinaire consiste non à prendre appui sur les connaissances nouvellement produites afin de tenter d'inventer de nouvelles valeurs correspondant à un accroissement d'être, mais au contraire, en cas de péril, à s'arc-bouter sur les valeurs existantes par invocation d'un *mal radical*[1]. La valeur éthique d'un comportement se définit alors par la distance prise ou maintenue vis-à-vis de cette référence absolue. De même que les médecins sont beaucoup plus diserts dans la description des maladies que dans la définition de la santé,

1. Cf. Alain Badiou, *L'Ethique* (Hatier, Paris 1994).

de même les moralistes dépeignent plus volontiers le mal qu'ils ne se risquent à donner corps à l'idée du bien.

Les autorités théologico-politiques savent qu'elles n'ont de prise sur les êtres humains qu'en conférant par l'institution une forme « charnelle » aux solutions qu'elles ont apportées (et toujours réajustées) aux grandes énigmes qui donnent l'élan à l'imaginaire humain et font son tourment. Cette prise se fait toujours par corps, et par l'entremise du droit et de la morale.

Le monde occidental moderne a vu partout cette prise se relâcher. Les institutions saisies de vertige tentent de se ressaisir sans grand succès. Les procédures traditionnelles de l'enrôlement des corps par contrôle des jouissances placées sous effet de culpabilité s'avèrent périmées. C'est l'institution médicale qui se trouve le plus largement reconnue comme autorisée à énoncer règles et normes.

Les progrès des sciences du vivant viennent sur le terrain médical de leurs applications remuer les grandes énigmes et fouetter l'imaginaire occidental. Une nouvelle idée moderne du mal radical prend corps. Médecins et personnels de santé désemparés cherchent à s'en prémunir par l'éthique qu'ils appellent de leur vœu. Dans certains pays, la transaction se fait à ciel ouvert dans le cadre de comités *ad hoc* où se côtoient médecins, juristes et théologiens. L'Eglise catholique se porte aux avant-postes de l'épouvante. Mais repousser le soi-disant mal radical risque d'avoir dans l'immédiat pour effet de geler le progrès de certaines des connaissances les plus précieuses. Toutes celles qui, de près ou de loin, risquent de bousculer un peu plus le dispositif du contrôle des jouissances : la procréation assistée, mais aussi les interventions sur l'embryon humain qui pourraient alléger l'angoisse inhérente à tout enfantement et dérober à leur spiritualisation les souffrances d'êtres humains nés difformes ou irrémédiablement handicapés. Il serait sans doute grand temps que par-delà les dogmes des théologiens et les désormais incertaines certitudes des médecins, nous réouvrions en effet ce que les philosophes ont appelé la question « éthique ». Non point : comment vivre pour conjurer le mal radical ? Mais « que vivre pour développer au mieux les potentialités de la condition humaine ? » Vivre humainement, cela ne se résume point à vivre biologiquement. Notre langue déjà le dit bien qui fait usage transitif du verbe : « vivre quelque chose ? »

Epilogue

Le lecteur me permettra de faire un dernier retour vers le personnage de Prométhée. Il peut délivrer encore quelques enseignements, si l'on prend au sérieux les textes des poètes et des artistes qui, au quinzième et au seizième siècle, ont cessé d'y voir une figuration inadéquate de la puissance divine pour chercher en lui une figure symbolique de la condition humaine. De ces textes, le célèbre discours de Pic de la Mirandole (1463-1494) *De la dignité de l'homme* (1486) apparaît comme le plus admirable – et sans aucun doute le plus sulfureux[1]. Prométhée n'est point nommé, mais constitue silencieusement une figure centrale de ce qu'on a appelé, non sans équivoque, l'« humanisme » de Pic de la Mirandole.

1. Yves Hersant a publié une édition bilingue de ce texte avec introduction et notes (Ed. de l'Eclat, 1993). On en trouve une autre traduction suivie d'une étude sur l'humanisme de Pic dans les *Œuvres philosophiques* de Pic de la Mirandole (PUF, Paris 1993).

« Finalement, écrit Pic, j'ai cru comprendre pourquoi l'homme est le mieux loti des êtres animés, digne par conséquent de toute admiration, et quelle est en fin de compte cette noble condition qui lui est échu dans l'ordre de l'univers, où non seulement les bêtes pourraient l'envier, mais les astres, ainsi que les esprits de l'au-delà. »

Cette raison ne tient nullement à la place éminente que lui aurait attribué le créateur sur l'échelle des êtres, conformément à l'explication classique. Elle ne tient donc pas à une perfection particulière de sa nature. Elle renvoie au contraire à ce que paradoxalement l'homme n'a pas de nature au sens où il en a été attribué une aux autres êtres. L'auteur en rend compte par un récit qui fait référence explicite tout à la fois à Moïse et à Timée. Dieu ayant achevé de construire « la demeure du monde » telle que nous la connaissons, il désira « qu'il y ait quelqu'un pour peser la raison d'une telle œuvre, pour en aimer la beauté, pour en admirer la grandeur ». Il décida donc, « en dernier lieu », de créer l'homme. Pic visiblement n'ignore pas les bévues de l'Epiméthée du *Protagoras* lorsqu'il poursuit : « Or il n'y avait pas dans les archétypes de quoi façonner une nouvelle lignée, ni dans les trésors de quoi offrir au nouveau fils un héritage, ni sur les bancs du monde entier la moindre place où le contemplateur de l'univers pût s'asseoir. Tout était déjà rempli : tout avait été distribué aux ordres supérieurs, intermédiaires et inférieurs. »

De cette pénurie, Dieu s'accommode. Il la tourne à l'avantage de l'homme : « En fin de compte, le parfait ouvrier décida qu'à celui qui ne pouvait rien recevoir en propre serait commun tout ce qui avait été donné de particulier à chaque être en particulier. » De cette thèse, il s'ensuit que, participant de toutes choses, l'homme, comme l'écrit Yves Hersant, peut être tenu pour le médiateur de toutes choses. De là que cet être, aucune loi ne le bride. A lui de définir lui-même sa nature. Ce prométhéisme s'affirme dans la bouche de Dieu qui s'adresse à l'homme en ces termes aussi peu chrétiens que les précédents : « Si nous ne t'avons fait ni céleste ni terrestre, ni mortel ni immortel, c'est afin que, doté pour ainsi dire du pouvoir honorifique de te modeler et de te façonner toi-même, tu te donnes la forme qui aurait eu ta préférence. » Voilà donc qu'à l'homme naissant, « le Père a donné des semences de toute sorte et les germes de toute espèce de vie ». C'est à Protée qu'il n'hésite pas à comparer cet être. Du caméléon il fait son plus constant symbole. Il cite la formule des Chaldéens : « L'homme est un être de nature variable, multiforme et voltigeante. »

Pic se fait ainsi de la condition humaine une conception qui ne saurait se situer sur une simple trajectoire allant de la vision médiévale à la pensée moderne des rapports entre Dieu, l'homme et le monde. Cette ligne, il la brise. En ce mouvement, il ne marche pas du même pas que la plupart de ses contemporains. A preuve, sa thèse selon laquelle l'homme est, sur le théâtre du monde, « le spectacle le plus digne d'admiration ». Ce qui revient à dire tout à la fois que l'homme appartient au monde exactement comme les autres créatures, mais aussi que sa vie offre cette singularité de se dérouler intégralement sur une scène dont il est lui-même le spectateur. L'homme est la créature qui a la capacité de transformer le monde en un vaste théâtre. La finalité de cet être admirable consiste à s'admirer lui-même en tant qu'il est capable d'apercevoir ce qu'est l'architecture de l'œuvre divine dont il fait lui-même partie et d'en réfléchir, d'en recueillir, tous les aspects. Une éthique en découle immédiatement : « Il nous appartient, puisque notre condition native nous permet d'être ce que nous voulons, de veiller par-dessus tout à ce qu'on ne nous accuse pas d'avoir ignoré notre haute charge pour devenir semblables aux bêtes de somme et aux animaux privés de raison. »

Ecoutons une dernière fois le jeune et brillant aristocrate : « Qu'une sorte d'ambition sacrée envahisse notre esprit et fasse qu'insatisfaits de la médiocrité, nous aspirions aux sommets et travaillions de toutes nos forces à les atteindre (puisque nous le pouvons, si nous le voulons). » Giordano Bruno, combattant l'astrologie, ne dira pas autre chose. Dans *L'Expulsion de la bête triomphante*[1] il propose de « mettre bon ordre dans le ciel qui est intellectuellement au-dedans de nous, et ensuite dans le ciel sensible qui corporellement se présente aux yeux. Enlevons du ciel de notre esprit l'Ourse de la brutalité, le Sagittaire de l'envie, le Poulain de la frivolité, le Chien de la médisance, la Canicule de la flatterie... Si nous nettoyons ainsi notre habitation, si nous rendons ainsi neuf notre ciel, neuves seront les constellations et les influx, neuves les impressions, neuves les chances... O bienheureux serons-nous, ô fortunés en vérité, si nous faisons bonne culture de notre esprit ».

On soupçonne quelque secret poison d'avoir mis un terme prématuré à la vie de Pic à Florence le 17 novembre 1494. On sait les flammes auxquelles fut condamné l'héroïsme de Bruno à Rome sur le Campo dei fiori, le 17 février 1600. Il se pourrait qu'il nous reste encore quelque bête triomphante à expulser.

---

1. Giordano Bruno, *L'Expulsion de la bête triomphante*, traduit de l'italien présenté et annoté par Bertrand Levergeois (Ed. Michel de Maule, Paris 1992).

Du même auteur :

L'Epistémologie historique de Gaston Bachelard (Vrin, Paris, 1969).

Bachelard, Epistémologie, textes choisis (P.U.F., Paris, 1971).

Pour une critique de l'épistémologie (Maspero, Paris, 1972).

Une crise et son enjeu (Maspero, Paris, 1973).

Bachelard, le jour et la nuit (Grasset, Paris, 1974).

Lyssenko. Histoire réelle d'une « science prolétarienne » (Maspero, Paris, 1976 ; rééd. P.U.F. / Quadrige, 1995).

Dissidence ou révolution ? (Maspero, Paris, 1978).

L'Ordre et les jeux (Grasset, Paris, 1980).

La Philosophie sans feinte (Albin Michel, Paris, 1982).

Contre la peur. De la science à l'éthique une aventure infinie (Hachette, Paris, 1990 ; rééd. Hachette / Pluriel 1993).

L'Amérique entre la Bible et Darwin (P.U.F., Paris, 1992).

A quoi sert donc la philosophie ? Des sciences de la nature aux sciences politiques (P.U.F., Paris, 1993).

Les Infortunes de la Raison (Vents d'Ouest, Québec, 1994).

Composition réalisée par COMPOFAC - PARIS

Imprimé en France par l'imprimerie à Hérissey à Évreux - N° d'imprimeur : 82286
Dépôt légal : n° 2370-11/1998
ISBN : 2-253-94275-8

42/4275/6